D0246328

Deva Beck
et James Beck

LES
ENDORPHINES

L'autogestion
du bien-être

Le Souffle d'Or

Library of Congress Cataloging in Publication Data
Beck, Deva, and Beck, James
The Pleasure Connection :
Hom Endorphins Affect Our Health and Happiness

QP553B43 1987 87-60379

Copyright © 1987 by Synthesis Press
To order additional copies write —
P.O. Box 1141
San Marcos, California, 92069. U.S.A.

© Le Souffle d'Or 1988
pour la langue française.
Tous droits réservés pour tous pays.

ISBN 2-904670-27-X

Traduit de l'américain par Myriam Zeghouani
et Ludovic Lanier

Couverture : GENEPY/GAP
Impression : LOUIS-JEAN/GAP
Brochage : LOUIS-JEAN/GAP
Dépôt légal : 4ème trimestre 1988

LE SOUFFLE D'OR
BP 3
BARRET LE BAS
FRANCE

Cet ouvrage est dédié à notre famille — parents, frères, soeurs et amis. Chacun de vous tous sait qui il est, et combien il nous a aidé dans l'entreprise qui nous a permis de donner naissance à ce livre. Nous rendons hommage à votre amour et à votre capacité de reconnaître l'émergence d'une nouvelle qualité de la Vie. Notre reconnaissance va tout particulièrement à Flower A. Newhouse dont les enseignements nous ont guidés à travers le labyrinthe fascinant des Endorphines et ont favorisé l'éclosion des idées développées tout au long de cet ouvrage.

NOTE DU TRADUCTEUR

Cher Lecteur,

Le présent ouvrage contenant un certain nombre de termes médicaux, nous vous conseillons de consulter au préalable le glossaire.

A la fin du chapitre trois, dans les « applications pratiques », les auteurs mentionnent la « thérapie de la tendresse ». Il s'agit d'un mouvement, récemment développé aux U.S.A., et particulièrement en Californie. Nous pourrions le rapprocher de ce que fut en France la « révolution tendrelle ».

En ce qui concerne la bibliographie, nous vous prions de vous informer auprès de votre libraire sur les oeuvres traduites en langue française.

PREFACE

La recherche scientifique la plus passionnante de ces 30 dernières années, concerne ces miraculeuses brèves chaînes d'acides animés appelées enképhalines, et en particulier la beta-endorphine, la plus connue. Nous sommes certains d'être au tout début de la découverte de l'histoire fascinante des neurotransmetteurs, et chaque année apporte en effet son lot d'informations utiles. Ce livre : «Les endorphines», est la meilleure synthèse à ce jour de ce travail fascinant.

Chacun gagnera à être plus conscient des nombreuses implications de ces recherches, très bien décrites ici. Cet ouvrage est écrit pour le grand public, mais les médecins et les scientifiques peu familiarisés avec ce domaine, trouveront ce livre très utile. Il contient une vraie encyclopédie de références parmi la littérature croissante sur les endorphines. Je salue la présentation complète et accessible faite par les auteurs.

C. Norman Shealy,
D^r en médecine et philosophie

TABLE DES MATIÈRES

INTRODUCTION

Que savons-nous des Endorphines ? Si vous pratiquez la course à pied, vous avez probablement ressenti l'impression de « planer » liée à cette activité, et vous savez que les Endorphines provoquent l'euphorie. Vous avez peut-être appris, à l'occasion de vos lectures, que les Endorphines sont les substances biochimiques naturelles du corps soulageant la douleur.

On sait que certaines de ces Endorphines sont plusieurs centaines de fois plus puissantes que la morphine elle-même, et, comme cette drogue, elles peuvent provoquer des effets secondaires de dépendance. En effet, les narcotiques, tels que la morphine et l'héroïne, créent la dépendance car leur structure chimique est similaire à celles des Endorphines, qui, elles, appartiennent à notre biochimie naturelle.

L'action des Endorphines est déclenchée par la stimulation, le stress et quelquefois même par nos réactions de stress excessif aux exigences de la vie quotidienne. A cause de cela, et parce qu'elles possèdent un puissant potentiel d'accoutumance, on reconnaît actuellement le rôle que jouent les Endorphines dans les mécanismes mystèrieux des maladies cardiaques, du tabagisme, de l'alcoolisme, de la dépression, de l'arthrite, des ulcères et de l'épuisement total qui constituent quelques uns des maux bien connus de l'époque particulièrement stressante dans laquelle nous vivons.

Mais, au-delà du stress et de la dépendance préjudiciable auxquelles elles sont associées, les Endorphines ont de nombreuses autres implications. Lorsque vous éprouvez un bonheur intense, les Endorphines sont à l'oeuvre. Lorsqu'un frisson parcourt votre colonne vertébrale, les Endorphines sont encore présentes. Durant ces instants de bonheur sans mélange, qui sont la quintessence de la Vie, les Endorphines affluent en vous,

pour venir enrichir votre existence, gravant ces images au coeur
de vos souvenirs les plus chers. Tandis même que vous lisez ces
lignes, les Endorphines circulent à travers votre corps tout
entier, partie intégrante de ce flux bioélectrique que nous
nommons Vie.

La recherche en matière de biochimie a accompli des progrès
foudroyants depuis la découverte des Endorphines, il y a plus
d'une dizaine d'années. Qu'en est-il des résultats ? Nous disposons à présent d'une vaste quantité d'éléments concernant les
Endorphines. Ces informations suggèrent des modifications
radicales dans la façon dont la médecine envisage le fonctionnement du cerveau, du corps et leurs inter-relations, se traduisant
par les phénomènes bioélectriques qui affectent à la fois notre
santé et notre bonheur.

Parallèlement, les scientifiques sont en train d'élargir la
notion limitée que nous avons de la maladie. Le point de mire de
ces recherches se déplace, dépassant l'idée d'une simple gestion
de la maladie pour aboutir à celle d'un désir de maintenir un
bien-être optimum.

De nombreux termes ont étés utilisés pour désigner cette
aspiration à un élargissement de la conscience : on parle de
« gestion du stress », d'« actualisation des potentialités de la
vie », de « médecine holistique ». Ces divers mouvements reflètent la conscience croissante selon laquelle chacun de nous a la
responsabilité, pour une grande part, de sa propre santé et de son
propre bonheur. Ce point de vue place l'accent sur la qualité de
la vie, tant au niveau physique, mental, émotionnel que spirituel.

Vous êtes-vous jamais demandés de quelle manière l'esprit et
le cerveau collaborent pour influer sur le corps ? Le simple bon
sens que nous utilisons pour faire face aux événements quotidiens nous fait suspecter que, d'une certaine manière qui nous
échappe en partie, l'esprit et le corps s'influencent mutuellement.
Nous sommes convaincus dans notre for intérieur qu'il existe un
lien, mais de quelle nature ?

Notre profession d'infirmier nous a amenés à nous interroger à ce propos. Lorsque nous avons eu connaissance de la découverte des Endorphines, nous nous sommes demandés si ce nouvel élément pourrait nous permettre d'acquérir une meilleure compréhension de nous-mêmes, une conception plus claire de la relation qui exite entre corps et esprit, bonheur et santé.

Tandis que nous tentions de répondre à ces questions et travaillions à la rédaction de cet ouvrage, nous avons continué à prodiguer des soins à nos patients dans un cadre médical traditionnel, vivant une interaction effective avec les malades et leurs besoins. En tant qu'infirmiers, nous sommes souvent amenés à assurer la surveillance d'un dortoir entier. Surveillant les patients de minute en minute, tout au long d'une journée, d'une semaine, quelquefois même pendant des mois, nous observons les marées montantes et descendantes de la maladie, assistant parfois à la guérison. En nous basant sur nos propres observations, nous avons acquis une certaine conscience du flux de la guérison et du maintien de la santé. Nous nous sommes souvent demandés à propos de l'un de nos patients : « cette personne se rétablira-t-elle ? Sinon, qu'est-ce qui l'en empêche ? Que pouvons-nous faire pour augmenter ses chances de guérison et la maintenir en bonne santé ? De quelle façon notre connaissance des Endorphines s'applique-t-elle à tel ou tel cas ? »

Nous avons observé, par exemple, chez certaines personnes, même lorsqu'elles sont malades, une attitude extraordinairement positive qui accélère de façon significative la guérison et améliore la qualité même de leur environnement. D'autres patients, au contraire, sont tout simplement « incapables d'aller bien », même lorsque la maladie dont ils souffrent ne semble pas mettre leurs jours en danger.

Nous avons également appris que la douleur est subjective et que les taux de guérison obéissent à des processus individuels.
Nous avons noté que des facteurs aussi mystérieux que la pensée, les émotions, la confiance, les attitudes, et les comportements correspondants, constituent tous des indices précieux pour élucider l'énigme que représente le contexte d'une guérison.

La connaissance des Endorphines nous a fourni un éclairage particulièrment révélateur dans ce domaine.

En tant qu'infirmiers et enseignants, nous avons combiné le fruit de nos observations attentives et les éléments dont nous disposions concernant les Endorphines, pour communiquer à nos élèves les principes de la santé. Nous avons découvert qu'en fournissant une explication en connaissance de cause, le thérapeute s'attachant au soutien du malade, dispose d'un outil tout aussi performant que le stéthoscope ou la seringue, et qu'il établit ainsi une base solide à tout traitement, quel qu'il soit. Lorsque l'esprit comprend un discours et y adhère, le corps est plus à même de s'acheminer vers la guérison ou la résolution du conflit.

Les idées developpées dans ce livre amélioreront notre connaissance des Endorphines, nous aidant à résoudre cette énigme esprit/corps qui nous concerne directement, et nous permettant d'apprendre comment influer de façon constructive sur la qualité de notre vie. Nous examinerons la corrélation qui existe entre les mouvements de flux et de reflux des Endorphines et les mouvements correspondants de nos sentiments, humeurs, pensées et comportements, ainsi qu'avec le maintien de l'équilibre du corps. Nous verrons de quelle façon nous pouvons influencer consciemment ce processus, améliorant ainsi notre faculté biochimique potentielle à demeurer heureux et en bonne santé.

Nous nous sommes efforcés de rassembler d'une manière que nous avons voulu à la fois concise et efficace les idées, observations cliniques et théories variées qui ont servi de support à cet ouvrage. Nous avons opté pour un style simple et une démarche incitant à la réflexion. Ceci afin de ne pas décourager le lecteur, et lui donner l'impression de participer à une causerie plutôt que d'assister à un cours magistral. Nous nous proposons, tour à tour, de présenter l'information et d'interpeler le lecteur : peut-il établir une corrélation entre les idées émises et ses propres expériences ? Y a-t-il des applications pratiques qu'il puisse utiliser dans ses propres choix de vie ? Si c'est le cas, nous serons alors parvenus à lui faire synthétiser et intégrer ce message, à l'incorporer à sa propre compréhension, sa propre sagesse.

Nous évoquerons mentalement, tout au long de ce livre, des images et situations diverses, véritables « expéditions sur le terrain » permettant au lecteur de se représenter précisément et concrétement les problèmes liés aux Endorphines. Parfois nous l'encouragerons à utiliser et approfondir sa propre expérience, parfois nous nous efforcerons de lui faire entrevoir une notion qui lui était jusqu'alors étrangère.

Chaque chapitre se termine par un certain nombre d'« applications pratiques ». Grâce à ces dernières, nous espérons donner au lecteur la possibilité d'établir une relation concrète et directe entre sa propre expérience et les découvertes fascinantes, bien que parfois dérangeantes, concernant les Endorphines. Le lecteur remarquera que nous l'encourageons vivement à élargir ses perspectives, à découvrir une nouvelle vision du monde et à prendre, ou reprendre, conscience de la puissante emprise de l'esprit sur le corps. Fort de cette compréhension, il pourra alors s'épanouir d'une façon créative, vivre pleinement, heureux et en bonne santé.

Si, de par votre profession ou vos activités, vous devez apporter une aide à d'autres individus, nous espérons que vous saurez tirer parti de ces informations et les appliquer aux personnes au service desquelles vous agissez. Puissent les idées contenues dans ce livre rendre votre « aide » plus efficace.

Au delà de l'aspect scientifique de cet ouvrage, et de certains développements techniques qui pourraient sembler rebutants, nous espérons avoir réussi à transmettre au lecteur notre amour pour la Vie, souhaitant que ce livre lui apporte une conscience élargie et le mène vers les rivages d'une nouvelle réalité.

Deva et James Beck, infirmiers D.E.
Mars 1987

CHAPITRE UN

L'écologie du bien-être

Il semble que la connaissance obtenue en envisageant les vieux problèmes sous un angle nouveau puisse avoir un impact profond quant à la formulation de solutions novatrices.

Kenneth Pelletier, PH.D.

N'avez-vous jamais aspiré intensément à un sentiment de joie de vivre ? Au plus profond de vous même, vous sentez la promesse d'une signification et d'un accomplissement à votre vie. Ces sentiments surviennent souvent de manière soudaine comme s'ils surgissaient de nulle part. L'allégresse monte pour devenir une sensation de bonheur qui vous submerge. Vous vibrez de plaisir. Un frisson de vie déferle le long de votre colonne vertébrale. Vos émotions et votre esprit se trouvent inondés d'une satisfaction intérieure créant cette mystérieuse sensation de plénitude appelée « euphorie ».

Peut-être réalisez-vous que cette euphorie provient d'un événement ou d'une expérience tels que le fait de prendre un risque, tomber amoureux ou accomplir ce qui vous tient à coeur. Mais cette sensation de bonheur ne dépend pas nécessairement d'un environnement extérieur. Elle peut se produire au moment où nous nous souvenons de quelque chose de spécial ou l'anticipons. Cet état de bien-être peut même nous envahir sans aucune cause apparente, par exemple pendant un instant de tranquillité ou un moment de paisible lucidité.

Cependant, nombre d'entre nous trouvons que, d'un moment à l'autre, et d'un jour à l'autre, cette sensation euphorique ne

cesse de nous échapper. Parfois, même lorsque nous avons déjà
satisfait à nos désirs d'hier, nous souhaitons éprouver à nouveau
cette sensation insaisissable de bonheur et de bien-être. Grâce
à des recherches, passées et présentes, nous savons maintenant
que cette sensation de bien-être provient de processus biochimiques se produisant au sein du corps. En fait, littéralement, toutes
nos sensations physiques et même nos pensées ainsi que nos
sentiments sont des dérivés de ce mélange biochimique interactif. Mais nous ne sommes pas seulement des sous-produits de
notre biochimie interne. Tout comme le goût d'une soupe peut
être influencé par des choix variés d'assaisonnements, sel, poivre
ou ail, de même notre biologie interne est, à son tour, influencée
par nos choix, perceptions, sentiments, pensées et même par nos
attitudes et croyances. Au total, tous ces derniers influent sur la
qualité de notre vie.

Au sein de ce mélange biochimique, on a déjà découvert
récemment une famille spéciale connue sous le nom d'ENKE-
PHALINES, et plus communément appelées ENDORPHINES.
Si vous avez déjà entendu parler des Endorphines, vous savez
peut-être de quelle manière cette étonnante trouvaille s'ajoute
aux connaissances que l'on possède déjà concernant l'esprit, le
corps et la relation esprit/corps. Peut-être savez-vous que le
corps est capable de créer ses propres anesthésiants ou encore
que l'impression de « planer » qu'éprouve un coureur, provient
de ces produits biochimiques euphorisants qui inondent le corps.
Dans certains cas, les Endorphines créent un soulagement à la
douleur de nature euphorique, des centaines de fois plus puissants que les narcotiques qui, eux, entraînent une accoutumance.

Les Endorphines génèrent l'euphorie et apaisent la douleur en
agissant comme des messagers biochimiques, augmentant ou
diminuant la faculté de nos cellules à communiquer entre elles,
stockant et envoyant des informations dans notre cerveau et à
travers tout notre corps.

Les Endorphines ne forment qu'une minorité parmi les nombreuses substances biochimiques corporelles connues; toutefois
elles représentent peut-être une des découvertes les plus significatives de notre temps : un lien important entre l'esprit et le

corps et le maintien de notre santé et de notre vie. Grâce à cette faculté qui leur est propre, de générer l'euphorie et de soulager la douleur, les Endorphines renforcent ou diminuent les choix que nous effectuons chaque jour. Ces derniers à leur tour, influencent nos réactions biochimiques, affectant les choix et événements futurs ainsi que notre interaction permanente avec la vie. En réponse à ces choix, notre corps fournit une compensation biochimique afin de préserver l'équilibre par lequel notre potentiel de santé et de bien-être se trouve optimisé.

Cependant, les choix que nous effectuons face à la vie peuvent provoquer conflits internes ou stress. Si ce stress est excessif, il peut accroître l'importance d'autres facteurs prédisposants, tels que l'âge ou une faiblesse génétique, jusqu'à vaincre notre capacité à nous adapter ou à maintenir l'équilibre. C'est alors que « mal-aise » et détresse sont susceptibles de survenir.

Ainsi par exemple, si les choix physiques, affectifs et mentaux accentuent notre besoin de surconsommation alimentaire et non celui de faire de l'exercice, nous pouvons souffrir d'un excès de poids, allant même jusqu'à l'obésité. De plus, si nous choisissons de mener une vie particulièrement stressante, alors, la combinaison de ces facteurs peut accroître nos risques de maladies cardiaques. Par chacun des choix que nous effectuons, qu'ils soient conscients ou inconscients, nous augmentons ou diminuons nos risques de maladie et de déprime ou notre potentiel de santé et de bien-être.

A la découverte des cycles de la nature

Afin d'illustrer l'équilibre qui conduit à la santé et au bien-être de notre corps, nous pouvons nous représenter un des cycles facteurs d'équilibre qui existent au sein de la nature. Imaginez un paysage de haute montagne dont les pics enneigés abritent un lac tranquille. Une fois là-bas, promenez vous le long du sentier caillouteux qui borde l'eau. Dans l'air vivifiant, vous remarquez que l'automne arrive, apportant pluie et neige qui empliront à nouveau ce lac.

Nous pouvons établir une comparaison entre notre cerveau et ce lac de montagne attendant l'arrivée de l'ondée qui lui restituera sa vie biochimique. Comme une terre sans eau, notre cerveau privé de cette irrigation biochimique ne serait qu'un désert montagneux. En réalité, le cerveau est un réservoir biochimique qui abrite le flux d'énergie que nous appelons Vie. Il entretient l'écologie du bien-être en sous-tendant les événements qui surviennent sur le plan physique, mental et affectif, pour les refléter ensuite par des réactions biochimiques qui se déversent du haut de la montagne du cerveau dans les vallées du corps.

Imaginez une cascade déferlante qui se déverse d'un lac de montagne. Cette analogie nous aide à comprendre le flux des substances biochimiques dans le corps. L'hypothalamus, ou glande majeure, ressemble à un tourbillon d'énergie dans le réservoir du cerveau où des courants bioélectriques et hormonaux prennent leur source, puis se répandent dans le corps, comme les rivières coulent sur la terre, le nourrissent et stimulent croissance et régénération. C'est parce qu'ils se répandent dans les basses-terres du corps que les courants bioélectriques et hormonaux sont indispensables au maintien de la santé et de la vie. On sait maintenant que les Endorphines sont partie intégrante de ces cascades bioélectriques.

En poursuivant notre comparaison, on s'aperçoit que le lac de montagne ne constitue pas sa propre source d'eau. Sa source première est l'océan, de même que la source de notre flux biochimique ne provient pas des montagnes de notre cerveau lui-même, mais afflue jusqu'à lui par le canal de nos cinq sens qui nous transmettent des informations sur l'océan d'énergie qui nous entoure. Exactement comme l'océan atteint une montagne par l'évaporation et la condensation en neige et en pluie, de même l'énergie est transmise par nos cinq sens au réservoir de notre cerveau-montagne, au processeur biochimique de notre conscience.

Nous pouvons pousser notre comparaison encore plus avant, et nous comprendrons que le corps est semblable à un écosystème. Au sein des cycles de la nature, nous avons été amenés à appréhender le concept d'Ecologie. Si nous polluons une quelconque partie des systèmes de la nature, notre équilibre écologique s'en trouvera atteint. Par exemple, lorsqu'il y a émission de gaz toxiques dans l'atmosphère, alors les pluies deviennent acides. Ensuite, lorsque les pluies acides tombent dans les lacs de haute montagne, la composition chimique de la nappe phréatique se modifie, compromettant la survie des lacs et des forêts, voire de chaînes alimentaires entières. Il en va de même pour le corps : des stimuli néfastes d'origine physique, mentale et même affective deviennent des agents de contamination biochimique qui, à la longue, auront un impact négatif sur l'état général de la vie.

Le lien cerveau/esprit

En réalité, le cerveau est pareil à une forêt composée de milliards de cellules aux innombrables ramifications appelées neurones. Les neurones sont uniques en leur genre car ils ne ressemblent à aucune autre cellule de notre corps. Ils sont conçus selon un système de ramifications en forme d'arbre. Ces branches sont appelées axones et dendrites. Les axones sont les branches les plus longues souvent réunies par paquets comme les branches maîtresses d'un arbre, pour former ce que nous savons être le système nerveux. Les dendrites sont plus courtes et s'embranchent aux extrémités de chaque axone sans contact, mais en restant à portée les unes des autres, comme les rameaux et les feuilles dans l'épais feuillage d'un arbre. Si l'on élargit encore cette comparaison, les axones et les dendrites qui se ramifient et s'entrelacent, fonctionnent ensemble pour former une structure vivante reliant l'épais feuillage du cerveau aux racines en passant par la moelle épinière à travers le corps tout entier.

Au sein de ce réseau, les Endorphines fonctionnent comme des agents de communication, véhiculent la sensation d'euphorie et de soulagement de la douleur, et, ainsi que nous le verrons, sont les vecteurs de l'équilibre écologique de notre santé et de notre bien-être du moment.

Nos neurones sont des unités de communication qui, comme les lignes téléphoniques, à la fois reçoivent et transmettent des impulsions par le canal bioélectrique des axones et des dendrites.

Nos axones ressemblent aux câbles téléphoniques principaux qui
forment les systèmes nerveux à longue portée dont les dendrites
représenteraient le réseau local, comme les lignes secondaires
plus courtes et plus nombreuses reliant par exemple le domicile
au lieu de travail.

Lorsque vous visualisez ces cellules, leurs axones et dendrites,
vous remarquez un entrelacs de structure visiblement très dense.
A présent rapprochez votre champ de vision de telle sorte que
vous puissiez apercevoir un léger espace entre les extrémités de
deux dendrites. Au point de rencontre entre dendrites se produit
un éclair d'énergie. Cet éclair est appelé synapse. On peut se
représenter un éclair synaptique comme le flamboiement d'une
gerbe de feux d'artifice. Chaque synapse rejoint d'autres éclairs
synaptiques pour libérer des Endorphines et autres substances
biochimiques, déclenchant ainsi les processus bioélectriques du
cerveau, dans un cycle perpétuel. Imaginez des milliards d'éclairs
synaptiques   .
qui se combinent simultanément pour innerver le cerveau et
le système nerveux d'une infinité d'explosions d'énergie irra-
diante.

Gardant présent à l'esprit notre analogie du téléphone, nous
notons que chaque synapse se comporte comme un transforma-
teur électrique, augmentant ou diminuant les messages biochimiques qui voyagent le long de lignes des axones et dendrites.
En répondant aux messages sensoriels émanant du monde qui
nous entoure, une dose d'Endorphine en constant équilibre se
libère des synapses pour influencer la puissance de ces messages
au bénéfice de notre santé, de nos sensations et même de notre
conscience.

Au niveau synaptique, il devient plus aisé de comprendre le
cerveau et son mode de communication cellulaire. Cependant, il
est difficile d'établir un lien entre le monde des dendrites et des
synapses et la capacité consciente qu'aurait l'esprit à influencer
ces mêmes synapses. Néanmoins, il est clair que chaque jour
nous influençons ces réponses biochimiques. La nourriture que
nous choisissons et que nous absorbons apporte à notre flux
biochimique lipides, glucose et protéines. Nous pouvons égale-

ment choisir de faire de l'exercice afin que ces substances puissent être synthétisées de façon plus efficace. Lorsque nous effectuons ces choix à bon escient, notre santé et notre bien-être reflètent cette sagesse.

Les choix affectifs et mentaux jouent un rôle significatif dans cette même mise au point biochimique minutieuse de l'équilibre de la santé. Pour n'en donner qu'un seul exemple, la seule pensée de nourriture suffit à provoquer la sécrétion de l'insuline par le pancréas pour la synthèse du glucose. La simple idée de manger déclenche une réaction physique, car l'activité mentale est un courant biochimique d'énergie synaptique circulant à travers le cerveau.

Bruce Jenner, médaille d'or de décathlon, appliquait cette connaissance pour accroître ses capacités et son succès. Outre un entraînement physique intense dans le but de réaliser ses ambitions olympiques, Bruce Jenner consacrait un certain temps à se représenter mentalement son entraînement quotidien. Cet exercice consistait à focaliser sa concentration en imaginant les effets et sensations obtenus par les mouvements, effectués avec perfection. De cette façon, Bruce Jenner combinait les déclics mentaux et physiques d'un flux biochimique pour remporter sa victoire.

Ces exemples nous fournissent une indication importante concernant la manière dont nous pouvons appliquer, et appliquons effectivement nos énergies pour déclencher un flux biochimique salutaire d'Endorphines. Pour l'heure, considérons une des méthodes les plus couramment utilisées pour déclencher les Endorphines : l'action du stress provoqué par des exercices physiques et des exploits d'endurance. Lors d'une expérience en laboratoire, on effectua des tests à la fois sur des athlètes et des non-sportifs. On étudia leur niveau d'Endorphine et l'on constata qu'il s'élevait de façon significative, résultat d'une activité physique accrue.

Il se trouve que la course à pied, quand elle est poussée à l'extrême, est un facteur stressant pour le corps. Beaucoup de chercheurs pensent maintenant que c'est ce stress supplémentaire, dû à un effort accru, qui déclenche le sentiment d'euphorie provoquée par les Endorphines, plutôt que la course elle-même. Cette euphorie nous éclaire sur le rôle des Endorphines. Quand la course devient une routine, les joggers ne ressentent plus comme auparavant cette impression de planer que leur procuraient les Endorphines. Ils éprouvent le besoin d'imposer à leur organisme un stress plus grand, en courant plus vite ou plus longtemps, afin de prolonger cette sensation d'euphorie. Ce problème d'adaptation se retrouve chez ces mêmes individus quand ils sont dans l'impossibilité de courir. En stoppant, pour une raison ou pour une autre leur routine bien établie, maints coureurs remarquent un changement de leur état de santé général. Ils déclarent se sentir apathiques et légèrement irritables, comme si l'effort physique intense leur était devenu indispensable pour se sentir bien. Ils ont les idées moins claires et présentent même un terrain plus favorable aux virus ambiants, comme par exemple le rhume ou la grippe. La vie devient plus dure à vivre. Par l'intermédiaire des Endorphines, ils se sont en partie adaptés à leur entraînement routinier.

Indices d'adaptation et d'accoutumance

Mais il n'est pas nécessaire d'être coureur pour ressentir le stress et s'y adapter. Pensez comme il est agréable de remuer une jambe ou un bras ankylosé. Après être resté assis un long moment, vous appréciez alors cette occasion de vous lever et de vous étirer. Vous avez peut-être remarqué que, lorsque vous avez été malade ou contraint de garder une même position, vous désirez vivement vous lever et bouger un peu, car, pour vous sentir bien, votre corps a besoin de mouvement et s'y est habitué. Une fois guéri, lorsque vous pouvez à nouveau marcher, vous ressentez une bouffée d'euphorie.

En réalité, cette légère vague de bien-être éprouvée lors de votre rétablissement après une maladie de courte durée s'apparente à cette montée d'euphorie ressentie par les coureurs et autres sportifs. Une période de guérison produit un stress supplémentaire bénéfique comme c'est le cas lorsque l'on court un kilomètre ou un tour de piste de plus. En réponse à ce stress, ces impressions déclenchent à leur tour un changement euphorique au sein du corps.

La vie est remplie de stress, qui peut se manifester sous diverses formes : modifications professionnelles, familiales ou relationnelles. Par notre réaction face à ces circonstances nous sommes amenés à nous adapter à cette routine et nous nous y installons. Quand ces changements surviennent, nous sommes alors forcés de nous réadapter aux nouvelles situations et à un nouvel entourage. Sans diversité, notre vie pourrait facilement devenir ennuyeuse et banale. Le changement et notre faculté à nous y adapter donnent une profondeur, une perspective et un sens à la vie.

Il semblerait que notre capacité d'adaptation soit vitale si nous voulons relever avec succès les défis permanents de la vie. Mais l'adaptation peut également se retourner contre nous. Notre corps peut se trouver surchargé de réactions face à un stress excessif. Les Endorphines jouent également un rôle dans cette réaction face à cette overdose de stress. On se souviendra que les Endorphines peuvent être cent fois plus puissantes que des doses équivalentes de narcotiques. Les Endorphines sont des substances biochimiques euphorisantes, génératrices d'accoutumance, libérées par le stress. Nous pouvons atteindre un état de dépendance, voire d'accoutumance à ces substances biochimiques euphorisantes internes.

Cette découverte nous aide à comprendre pourquoi nous pouvons « planer » et souffrir d'accoutumance à cause des facteurs stressants et des défis de la vie. Nous pouvons être amenés à une dépendance vis à vis de ce cycle stress/adaptation, qui déclenche ce processus euphorisant. Cependant, si le stress est maintenu à des niveaux élevés sur de longues périodes, nous risquons une overdose de stress, faisant ainsi perdre au corps sa capacité naturelle d'adaptation. Toutefois, à cause des propriétés euphorisantes des Endorphines, nous pouvons en même temps nous accoutumer à une réaction de surplus de stress préjudiciable à notre santé. En fait, ceci est tout à fait comparable au phénomène d'accoutumance chez les toxicomanes.

Il est ici utile de comprendre comment le processus d'accoutumance se déclare, car cela aura de nombreuses implications au fur et à mesure que nous avancerons dans nos recherches sur les

Endorphines. Le cycle d'accoutumance obéit à un schéma établi. Avec le temps, le corps s'adapte et développe une tolérance à une petite dose d'une drogue entraînant l'accoutumance. Une fois le processus naturel d'adaptation du corps accompli, la même dose qui jadis procurait un sentiment de bien-être ne peut plus fournir ce même plaisir. Puis le seuil de tolérance établi oblige le toxicomane à vouloir non seulement cette dose, mais aussi à en désirer davantage. Afin de maintenir à terme ce sentiment de bien-être, il faut administrer des doses plus élevées et plus fréquentes, c'est alors que commence le cercle vicieux.

Comment peut-on mieux comprendre les Endorphines et le fragile équilibre de la santé grâce à ce phénomène d'adaptation et ce cycle de tolérance ? Découvrons de quelle manière survient ce cycle tolérance/dépendance. Visualisez une cellule de votre corps. En regardant cette cellule de près, vous découvrirez, ainsi que l'on fait les chercheurs, une « serrure » biochimique. Ces serrures, officiellement appelées sites récepteurs, sont tout spécialement conçues pour recevoir un genre particulier de clé chimique. Une substance biochimique comprenant cette composition ou cette structure spéciale serait alors la clé qui s'adapterait dans le récepteur de la cellule. Quand clé biochimique et serrure-récepteur se rejoignent, il se produit une réaction dynamique au sein de la cellule. Tout comme une voiture qui a besoin d'une clé de contact pour démarrer, nos cellules nécessitent des clés biochimiques pour mettre en route nos processus corporels.

De nombreuses drogues constituent aussi des clés biochimiques qui peuvent s'ajuster dans les serrures récepteurs de nos cellules. Cela est vrai pour les narcotiques entraînant l'accoutumance, tels que l'héroïne, une puissante substance chimique à base d'opium qui déverrouille une serrure-récepteur dans nos cellules. Par ce phénomène, nous pouvons ressentir à la fois l'effet analgésique et euphorisant des narcotiques. Lorsque quelqu'un est désespérément accroché au plaisir obtenu par l'héroïne ou les autres substances opiacées, alors un puissant processus d'imbrication chimique survient à l'intérieur des cellules du toxicomane. Cette comparaison avec la « serrure » nous amène à comprendre la nature sous-jacente de l'accoutumance. Comme l'avait remarqué le Dr. Avram Goldstein, un pionnier de la recherche en matière d'Endorphine, il est évident que Dieu n'avait pas prévu ces récepteurs pour le seul plaisir des héroïnomanes. Il présumait que, puisque ces récepteurs existent, il devait y avoir quelque part dans le corps des clés biochimiques internes. L'héroïne et la morphine ne sont que des copies externes d'une clé biochimique qui déclenche le plaisir et qui est produite dans notre corps.

Ce concept fondamental fut le déclic qui, avec le temps, conduisit aux découvertes de la famille des clés internes appelées Endorphines. Au cours de la dernière décennie, on isola au moins douze substances distinctes qui s'avérèrent appartenir à ce groupe de substances biochimiques du cerveau, dont on sait aujourd'hui qu'elles ont de profonds et vastes effets sur l'être humain.

Nous savons dès lors que les clés d'Endorphines (comme la copie externe appelée héroïne) s'adaptent aux trous de serrure d'Endorphine pour générer euphorie et soulager la douleur. Mais, et de manière tout autant significative, on a trouvé des sites récepteurs d'Endorphine dans le cerveau, la moelle épinière et également dans tout le corps, c'est-à-dire, le long du système digestif, sur les cellules du pancréas, de la rate, des reins, du coeur, des poumons, des organes de reproduction et du système immunitaire. Ainsi, les chercheurs pensent maintenant que les Endorphines qui s'imbriquent dans ces récepteurs d'une portée considérable, jouent un rôle général dans le maintien global de notre santé.

Cette large gamme d'informations concernant les récepteurs découverts jusqu'à présent, nous fournit une indication quant à l'extraordinaire pouvoir de liaison des Endorphines entre notre sensation de bonheur, et l'écologie biochimique de notre santé et de notre bien-être.

Le stimulus devient une autre clé

Le Dr. Huda Akil, alors attachée de recherches à l'Université de Californie, Los Angeles, ayant connaissance de l'existence des récepteurs d'Endorphines déjà bien avant qu'ils ne fussent découverts, contribua de façon décisive à la recherche en matière d'Endorphines.

Pour effectuer son expérience, le Dr. Akil utilisa un phénomène analgésique demeuré longtemps un mystère pour les observateurs médicaux. Pendant des siècles, l'utilisation de stimuli électriques — allant des traitements recourant aux aiguilles électriques en usage dans l'Antiquité jusqu'aux techniques sophistiquées utilisant des fils électriques — avait souvent permis de soulager la douleur de manière stupéfiante. Le Dr. Akil se demanda si le courant électrique qui avait été utilisé tout au long de l'histoire pour supprimer la douleur, ne créait pas d'une certaine façon la clé chimique interne produisant ainsi une réaction amoindrie à la douleur. Afin de sonder ce mystère, elle décida de tester l'antidote chimique bien connu, appelé naloxone.

La naloxone est une substance servant d'antidote d'urgence en cas d'overdose d'héroïne et de morphine. La naloxone inverse littéralement les effets d'un coma opiacé, réveillant de façon spectaculaire le toxicomane somnolent. (Cette drogue inverse même les effets euphorisants de l'héroïne, rendant les sujets intoxiqués irritables, parfois hostiles et agressifs).

Au cours des expériences précédentes, le Dr. Akil avait déjà utilisé la naloxone comme antidote de la morphine. Utilisant la morphine comme analgésique pour ses cobayes, le Dr. Akil inversa alors les effets par des doses de naloxone. Comme prévu, la naloxone fit réapparaître la douleur que la morphine avait soulagée. Elle se posa alors une question qui devait apporter un indice décisif. La naloxone inverserait-elle également ce phénomène analgésique induit par les stimuli électriques ?

De la même façon qu'elle avait auparavant administré de la morphine pour réduire la douleur, le Dr. Akil exerça un stimulus électrique à doses contrôlées sur le cerveau de l'un de ses rats. Comme auparavant, cette dose de courant électrique équivalait à un soulagement par la morphine. On administra alors de la naloxone à son cobaye après stimulation électrique. Immédiatement, l'antidote inversa le soulagement dû à l'impulsion électrique. Une fois encore, le cobaye du Dr. Akil éprouva plus rapidement les symptômes de la douleur.

Tous les rats soumis aux tests firent apparaître le même résultat. L'antidote de la morphine, la naloxone, avait, de la même façon, inversé les effets analgésiques du courant électrique. Ainsi, la naloxone devait effectivement avoir inversé les effets d'un analgésique biochimique interne, inconnu auparavant, mais cependant puissant. Les substances biochimiques du cerveau, entrant naturellement en action, qu'on devait rapidement identifier comme étant les Endorphines, avaient été, d'une façon ou d'une autre induites par la stimulation électrique.

L'étude que réalisa le Dr. Akil sur le pouvoir analgésique du courant électrique et des effets inverses de la naloxone, fit plus que mettre en évidence l'action des Endorphines : son expérience constituait à elle seule, une clé qui devait déverrouiller pour nous la porte des Endorphines.

Les observations du Dr. Akil clarifient le fait qu'un stimulus électrique modifie effectivement le subtil mélange des substances biochimiques de notre corps. En gardant présentes à l'esprit ces observations, reprenons notre métaphore de la montagne évoquée précédemment. Vous vous rappelez que la montagne ne constituait pas sa propre source d'eau. Elle avait besoin d'un afflux d'énergie vitale provenant de la mer sous forme de condensation, de pluie et de neige. Nos cinq sens fournissent à notre cerveau un afflux comparable d'énergie vitale bioélectrique. Une source importante et permanente de stimuli cérébraux crée un environnement générateur de vie, à travers le canal bioélectrique de nos cinq sens.

Nous savons que nos yeux perçoivent des images, et nos oreilles des sons. Mais, sons et images sont traduits en messages bioélectriques qui affluent, sous forme de stimuli électriques, jusqu'à notre cerveau. Par le toucher, nous percevons une information de nature électrique concernant toute une diversité de textures, rugueuse, lisse, dure et molle. De la même manière, le goût et l'odorat, imbriquant étroitement les processus sensoriels, reçoivent et émettent des stimuli bioélectriques émanant des papilles gustatives et des terminaisons nerveuses olfactives. En fait, au travers de ce même stimulus électrique provenant de notre conscience sensorielle, une interaction s'établit entre la vie et nous.

Ainsi que vous vous en doutez déjà, le flux d'Endorphines est le résultat déclenché par les stimuli de nos cinq sens. Les puissants facteurs analgésiques, et les substances biochimiques euphorisantes jouent un rôle primordial dans tous ces processus sensoriels interactifs. Par exemple, les Endorphines sont impliquées dans le chant des oiseaux ou le rassemblement en banc des poissons. En réalité, on a découvert des récepteurs d'Endorphines sur les cellules sensorielles de nombreux animaux. Le protozoaire unicellulaire, lui-même, en possède.

La conscience sensorielle constitue un processus complexe permanent et interactif responsable de chacune des sensations que nous éprouvons au cours de notre vie. Mais, nos sens nous fournissent beaucoup plus qu'une simple information concernant le monde extérieur. Ils se combinent avec nos sensations de plaisir et de douleur, entremêlés par le flux des Endorphines. Agissant comme les messagers à la fois des stimuli sensoriels et du plaisir, les Endorphines sont les vecteurs bioélectriques qui influencent notre façon de percevoir l'environnement.

L'hologramme de notre cerveau/esprit

Pour comprendre de quelle manière les stimuli sensoriels se trouvent intégrés à nos perceptions de la réalité et à notre sentiment individuel de bonheur et de bien-être, imaginez-vous assis sur une chaise confortable. Votre chaise est située exactement entre deux haut-parleurs stéréophoniques. Cette sensation auditive vous est familière. Si les deux haut-parleurs ont exactement cette disposition, votre musique préférée ne semble plus provenir des haut-parleurs eux-mêmes. La musique, en effet, inonde la pièce et semble être issue de toute part. Cette intégration acoustique constitue ce que les spécialistes appellent « relation de phase ».

Par nos cinq canaux sensoriels électriques s'élabore une relation de phase analogue. Le Dr. Karl Pribram, chirurgien spécialiste du cerveau et chercheur à l'Université de Stanford, a conçu une théorie du cerveau qui intègre cette analogie à la relation de phase. Au cours de sa longue carrière, le Dr. Karl Pribram commença à établir de nouvelles observations prenant en compte la globalité des processus cérébraux. Avant lui, on pensait que le cerveau était simplement composé de différentes zones anatomiques. Dans cette ancienne théorie, chaque partie du cerveau constituait une entité séparée et chacune possédait sa propre fonction distincte de celle des autres zones.

Dans notre comparaison, les zones localisées et différenciées du cerveau sont semblables aux deux haut-parleurs distincts. L'énergie qui afflue de chaque haut-parleur, en l'occurence la musique, devient une sensation sonore synthétisée. De la même façon, la conception élargie qu'a le Dr. Pribram des processus cérébraux, démontre que, bien que différenciées, les zones spécialisées du cerveau constituent toutes des canaux d'énergie cérébrale synthétisée en sensations unifiées.

Tandis qu'il tentait d'expliquer ses observations pour appuyer sa propre comparaison, le Dr. Pribram entendit parler d'une sorte de photographie d'un genre particulier, appelée holographie. Il s'agit d'un type de photographie en trois dimensions n'utilisant pas de lentille mais se servant de rayons laser pour enregistrer l'image. Vous avez peut-être entendu parler de l'holographie, procédé utilisé notamment dans le film « La guerre des étoiles » pour produire les effets spéciaux de l'image en trois dimensions de la Princesse Leia projetée par R2-D2. Actuellement, on incorpore également des hologrammes au recto des cartes de crédit afin d'en rendre la contre-façon plus difficile. Les images cauchemardesques que l'on trouve dans la maison hantée de Disneyland sont également des hologrammes.

A partir de ses recherches sur les hologrammes, le Dr. Pribram élabora une théorie du « cerveau holographique » expliquant en quoi l'énergie holographique est comparable à la capacité électrique du cerveau à ressentir une conscience unifiée de nos cinq sens.

Tandis que l'information est transmise biochimiquement à travers nos cinq sens puis renvoyée au cerveau, cette énergie électrique devient semblable au rayon laser en holographie. La réalité en cinq dimensions du cerveau se met à ressembler à un hologramme en trois dimensions. Le cerveau holographique synthétise les cinq stimuli électriques simultanés dans cette même relation de phase intégrée que nous avons déjà étudiée. Les stimuli provenant de l'environnement, les sources d'énergie de type laser, engramment leur information en nous par une interaction avec les hologrammes vivants qui créent les processus de notre esprit-cerveau, synthétisant l'afflux constant de l'énergie bioélectrique cérébrale.

Dans la théorie du Dr. Pribram, notre cerveau est tout simplement et majestueusement l'écran sur lequel s'inscrivent les hologrammes de notre esprit. Cette théorie suggère que les processus cérébraux, tout comme l'holographie, sont capables de transformer le canal de nos cinq sens en ces images intégrées que nous nommons réalité. Mais, notre cerveau est plus qu'un simple récepteur passif de ces images holographiques. Nos processus bioélectriques mentaux et émotionnels jouent également un rôle actif dans nos choix conscients et inconscients, se comportant comme les réalisateurs du film holographique de nos sensations.

Grâce à ce réseau sensoriel, nous filtrons l'information à travers les énergies électriques de notre esprit et de nos émotions, acceptons ce que nous devons percevoir et rejetons ce qui nous apparaît comme non-pertinent, définissant ainsi nos réalités du moment. C'est ainsi que nous synthétisons physiquement et mentalement tous les stimuli nous parvenant et qui agissent sur nos sens, en une relation de phase unique les englobant tous les cinq.

Qui plus est, nous conservons des souvenirs de tous les stimuli passés, à la fois conscients et inconscients. Par le biais de ces stimuli bioélectriques, les Endorphines jouent un rôle significatif dans la formation et la conservation des souvenirs.

Peut-être pouvez-vous évoquer un souvenir d'une importance capitale, dont l'impact vous frappe avec une telle énergie qu'il demeure plus clair à votre esprit, vous parle davantage que ce que vous éprouvez à l'instant même. Vous avez peut-être remarqué, par exemple, qu'une odeur particulière a le pouvoir de raviver instantanément un lointain souvenir. Celui-ci demeure vivace, stocké à l'intérieur de votre cerveau. Les Endorphines sont impliquées à la fois dans le rappel biochimique du souvenir et dans l'exercice bioélectrique de l'odorat. Ainsi, on comprend aisément de quelle manière l'arôme du pain en train de cuire pourrait vous retransmettre électriquement une sensation de votre enfance. De même, l'odeur du caoutchouc brûlé pourrait vous rappeler un accident de voiture. Ces exemples montrent comment l'on peut stocker une image holographique entière dans une simple conscience sensorielle.

Il s'agit de visions holographiques que de puissantes substances biochimiques ont codifiées dans tout le cerveau, et qui ont gravé dans notre mémoire une image significative reliée à nos cinq sens. Ces hologrammes souvenirs interfèrent avec les impulsions électriques sensorielles du moment, afin de modifier et définir nos propres perceptions et réactions que nous appelons alors réalité. N'oubliez pas que ces mêmes processus biochimiques, comprenant les Endorphines, constituent des liens esprit/cerveau importants, qui influencent notre santé et notre bien-être.

Reprenant les observations du Dr. Pribram, nous pouvons aboutir à une compréhension globale de notre cerveau. Le Dr. Pribram nota une autre ressemblance entre le cerveau et les hologrammes : chaque cellule d'énergie cérébrale, aussi petite soit-elle, reflète une image miniature unique de l'ensemble du cerveau lui-même. Ce concept est semblable au phénomène que l'on peut observer un matin humide et ensoleillé. Chaque gouttelette de rosée devient un prisme qui réfléchit une image miniature unique du soleil.

Poursuivant notre idée, imaginez un arbre tout en fleurs, s'élevant dans la lumière rayonnante du soleil. La structure de l'arbre nous rappelle notre vision précédente du système cérébral en forme d'arbre. En atteignant les extrémités les plus lointaines du cerveau, par l'intermédiaire des ramifications microscopiques que représentent axones et dendrites, notre cerveau crée une liaison ramifiée qui descend le long de la colonne vertébrale pour communiquer avec les racines de dendrites jusqu'au bout des doigts ou orteils.

Dans la scène matinale que nous avons imaginée, cet arbre scintille d'une rosée biochimique reflétant le soleil. Représentez-vous cette structure, transformée à présent en une sphère rayonnante de lumière, aux couleurs de l'arc-en-ciel avec des gouttes de rosée prismatiques. Image de toute beauté, car l'arbre semble parfaitement vivant.

En regardant de plus près, nous apercevons que chaque goutte de rosée reflète l'arbre, devenant elle-même sphère rayonnante dans la sphère. La moindre petite cellule nerveuse ou « goutte de rosée » d'énergie cérébrale, semble refléter une image miniature unique de tout le cerveau. Chaque goutte de rosée paraît avoir sa propre vie, et rayonne de beauté et d'équilibre.

En se remémorant les concepts du Dr. Pribram, nous pouvons imaginer que ces milliers de cellules cérébrales au sein de cette sphère qu'est le cerveau, s'apparentent en quelque sorte à l'arbre resplendissant de vie. Chaque goutte de rosée qui brille est semblable à l'essence énergétique d'une cellule, l'arbre à une sphère d'énergie représentant le cerveau lui-même. Nous pouvons considérer notre sphère énergétique comme régissant à la fois le processus bioélectrique du cerveau et celui des énergies concernant notre esprit et nos émotions.

Avide d'une nouvelle dose

Les Endorphines font partie des substances biochimiques qu'activent des milliards d'éclairs synaptiques : c'est le flux de ces processus cerveau/esprit. Les chercheurs en matière d'Endorphines qui, à force de travail, ont réussi à isoler ces substances si incroyablement minuscules mais qui peuvent considérablement influencer notre sensation de vie, nous informent que les Endorphines ne sont pas seulement petites, mais qu'elles ont une durée de vie exceptionnellement courte. Pour nombre d'entre elles, la vie se mesure en instants très brefs. Seconde après seconde, notre flux biochimique suit son cours. D'après cette réalité minuscule, et qui pourtant imprègne tout, notre cerveau ne canalise pas la même rivière bioélectrique et biochimique que celle ressentie juste un instant auparavant. Pas plus que nous ne sommes ce que nous allons bientôt devenir.

N'avez-vous jamais éprouvé cette impression furtive de félicité ? Cela survient comme une légère brume qui s'évaporerait à la surface de votre visage, sensation si brève, qu'avant même d'en avoir pris à demi conscience, elle a déjà disparu, tel un fantôme, évanescente, alors que vous la percevez juste et en saisissez le sens. Cette vision constitue un bon exemple de cette bouffée de bonheur que peuvent nous prodiguer ces minuscules Endorphines.

Peut-être avez-vous ressenti cette joie en écoutant le chant radieux d'un oiseau, en respirant le parfum d'une fleur ou en admirant un magnifique coucher de soleil. Les amateurs de sensations fortes appuient à fond sur l'accélérateur de cette sensation, au risque de leur vie, afin de retenir ce bonheur fantômatique. Les peintres, sculpteurs, danseurs, musiciens, poètes, artisans de toutes sortes, entr'aperçoivent un bref instant ce bonheur suprême, dans leur travail de création de la couleur, de la forme, du rythme et du son. La mère connaît cela par le lien qui l'unit à son enfant.

Les amoureux de la Vie semblent perpétuellement submergés de ce flot de bonheur. Cette sensation légère et flottante comme un voile et cependant vigoureuse, semble promettre un sens à la vie, promesse parfois tenue.

En période de trouble, nous aspirons à la paix et à la tranquillité. Peut-être est-ce parce que nous avons connu ce flot de bonheur et cependant, sans trop savoir comment, par un soudain changement de notre chimie cérébrale, nous nous rendons compte que cette joie nous fuit à présent. Que nous soyons préoccupés et aspirions à la sérénité, ou que nous « planions » jusqu'au septième ciel, nous sommes pareils au toxicomane torturé par l'envie d'une nouvelle dose. Un éclair soudain d'euphorie biochimique et la merveilleuse sensation s'est évanouie. Et du fond de nos ténèbres, nous y aspirons à nouveau.

Applications pratiques

Pour découvrir les traces d'Endorphines dans votre propre corps, envisagez les moments pendant lesquels vous vous êtes sentis « planer », à l'occasion d'une activité physique. Avez-vous obtenu cette sensation à la suite d'une augmentation de votre activité ? Qu'éprouviez-vous alors ? Votre regard sur la vie s'en trouvait-il amélioré ? Ou était-ce le contraire ? Quand votre niveau d'activité est moindre, vous sentez-vous déprimé, sans énergie, « pas dans votre assiette » ?

Souvenez-vous d'avoir jamais souffert d'accoutumance au stress, à tel point qu'une réaction de votre organisme face au stress excessif se fasse au détriment de votre santé ? N'avez-vous jamais abusé de vos forces -en tentant de résoudre un problème- découvrant que votre propre effort pour réagir bloquait la solution ? N'avez-vous jamais éprouvé un certain plaisir à effectuer des heures supplémentaires ou à veiller tard pour travailler sur un projet, pour découvrir le lendemain que vous êtes épuisé, plus sujet à la maladie, ou moins apte à affronter la vie ? Notez vos impressions.

Reprenez la métaphore précédemment évoquée, de l'arbre en pleine floraison, illuminé de rosée miroitant au soleil. Chaque goutte de rosée est un neurone en équilibre et prêt à refléter un état de conscience qui combine le stimulus présent avec toutes vos sensations passées, pour vous donner une image holographique de votre réalité présente. Quels stimulants ou quelles sensations passés ont façonné les images holographiques significatives qui s'offrent à vous aujourd'hui ? Ces images vous satisfont-elles ou bien y en a-t-il que vous souhaitez modifier ?

Remarquez quelle stimulation sensorielle vous rend heureux. Approfondissez ces sentiments en élargissant vos sensations pour inclure une nouvelle conscience sensorielle. Quand vous vous trouvez à l'extérieur, accordez de l'attention aux sons et aux odeurs qui vous sont agréables. Il nous arrive souvent d'oublier d'utiliser ces puissantes sources de stimulation, ne prenant pas conscience de notre capacité à vivre pleinement.

Evoquez le souvenir marquant d'une sensation passée, et remarquez la puissance avec laquelle votre souvenir éveille des réactions physiques à l'intérieur de votre corps. Posez-vous la question de savoir si les choix dont résultent votre comportement présent ou votre façon de réagir face à la vie sont basés sur des impressions passées, qui ne sont plus valables et applicables aux conditions actuelles. Prenez note de ces impressions.

Comme bruce Jenner, utilisez des clichés mentaux pour « sentir » bouger votre corps à travers l'une de vos sensations physiques. Si vous peaufinez votre technique sportive dans la danse ou le divertissement, utilisez cette suggestion mentale pour améliorer vos performances. On peut également appliquer cette technique pour mettre au point une nouvelle attitude mentale ou modifier une croyance émotionnelle.

Pour améliorer votre compréhension du fonctionnement bio-chimique de votre cerveau, transposez votre raisonnement au niveau microscopique. Faites comme si vous pouviez observer les éclairs synaptiques qui surviennent entre deux dendrites, l'émission permanente d'énergie que l'on peut comparer à un spectacle de feu d'artifice. Chaque éclair est un synapse. Mais à présent, représentez-vous ce spectacle brillant de l'éclat d'une multitude d'éclairs synaptiques. Tandis que vous observez ces explosions d'énergie, identifiez une couleur, imaginant que vous puissiez contempler le flux de vos propres Endorphines. Voyez comme elles éclatent à l'intérieur et parmi les autres éclairs dans une cascade qui déferle le long du réseau de vos dendrites/axones et système nerveux. A présent, tandis que vous respirez profondément, tentez de percevoir le flot de vos Endorphines qui jaillit de votre propre énergie biochimique naturelle et qui vous aide à vous sentir heureux, à la fois alerte et détendu.

« Pour éloigner la maladie ou recouvrer la santé, les hommes, en règle commune, trouvent plus facile d'être sous la dépendance des remèdes, plutôt que s'attaquer à la tâche plus ardue de vivre sagement ».

René DUBOS

CHAPITRE 2

A la recherche d'un fragile équilibre

Les puissantes Endorphines euphorisantes, analgésiantes, circulent à travers notre système biochimique cérébral. Un réseau de communication parcourt notre corps, doué du pouvoir potentiel de nous maintenir en bonne santé, exempt de sensations douloureuses et même de nous rendre heureux; voilà qui est clair, mais alors pourquoi n'en est-il pas toujours ainsi ? Si le potentiel biochimique de bonheur est présent en nous, pourquoi cela ne correspond-il pas toujours à une réalité biochimique ?

Question épineuse. Si ces substances biochimiques du bonheur appelées Endorphines existent, pourquoi alors tant de douleur et de souffrance ? Qu'est-ce qui déclenche une réaction des Endorphines ? Qu'est-ce qui ferait que cela s'arrête ou ne commence pas du tout ? Si les Endorphines constituent des analgésiques aussi puissants, où sont-elles lorsque le besoin d'un soulagement se fait le plus cruellement sentir ? Quand nous souffrons, pourquoi notre propre système auto-anesthésiant ne fonctionne-t-il pas systématiquement, pour nous préserver toujours de la souffrance, de l'anxiété ou de l'insatisfaction ? Ces questions nous amènent au coeur de notre étude sur les Endorphines. En tentant d'y répondre, nous rechercherons quelques réponses fondamentales nous concernant directement.

Afin de mieux saisir le mécanisme des Endorphines et nos rapports à elles, nous devons reprendre l'étude du monde fantastique de notre cerveau, qui abrite une grande partie du milieu des Endorphines. C'est ici, au sein de l'immense complexité des processus cérébraux que sont créés nombre de substances bio-chimiques de régulation du corps. Les savants commencent à comprendre que le cerveau fonctionne à travers un flux perpétuel, fluctuant, d'événements biochimiques et électriques. Afin de mieux comprendre ce processus à l'intérieur d'un contexte plus large, considérons une rivière s'écoulant au rythme des saisons.

Voyage à travers l'équilibre interdépendant de la nature

Imaginons que nous nous rendons vers un canyon où se

rejoignent le désert et la montagne. Une fois là-bas, nous longeons le lit desséché d'un ruisseau. Avec le changement de saison, l'eau déferlante inondera bientôt ce canyon craquelé, se transformant en une rivière tumultueuse prodiguant la vie au désert.

A présent nous parvient le bruit d'un torrent se précipitant sur les rochers en contrebas et nous contemplons ces flots gonflés qui déferlent à nos pieds. Nous pouvons cheminer le long des berges pendant un instant. Cette sensation participe d'un événement permanent qui se poursuit aussi longtemps que l'eau s'écoule.

Lorsque nous considérons le cerveau, lui-même, dans ses rapports aux Endorphines, nous pouvons le comparer au lit desséché d'un ruisseau. Cette rivière cérébrale constitue un processus, un flux d'énergie toujours changeant, dans lequel nous reconnaissons notre existence, la réalité de notre vie. A partir de cette image, il nous est possible d'obtenir une perspective élargie qui nous aide à mieux comprendre l'activité des Endorphines.

En reprenant notre métaphore, nous avons découvert un canyon se glissant entre les sommets dont la neige fondante vient abreuver le désert altéré. Au coeur de ces roches éboulées, sécheresse, oasis ou crue subite existent potentiellement. C'est la puissance du flot et le fragile équilibre de la nature qui déterminent le rôle nourricier ou dévastateur de la rivière.

C'est au sein du fragile courant de notre propre système biochimique cérébral, selon qu'il est équilibré ou non, que nous trouvons notre potentiel de santé ou nos risques de maladie. Le flot constant et générateur de vie de la rivière biochimique du cerveau s'écoule, nous maintenant vivant et en bonne santé, quand il fonctionne convenablement. Quand cela n'est pas le cas, une situation morbide favorable à la sécheresse ou à l'inondation peut apparaître.

Dans le décor de ce canyon, nous pouvons choisir d'imaginer n'importe quelle saison et l'état de la rivière à ce moment là.

En été, il subsiste un léger courant qui paraît minuscule auprès des énormes rochers de la rivière. Les sons nous parviennent si légers, dans ce paisible canyon, qu'il nous faut tendre l'oreille pour les entendre distinctement. Installons nous confortablement sur un rocher dans l'ombre fraîche et apprécions la tranquillité de la vie. Ainsi détendus, nous pouvons méditer ou nous assoupir, nous demandant pourquoi nous n'avons jamais ressenti l'inquiétude ou la peur. Si la vie nous a paru stressante, ses défis s'en sont allés, goutte à goutte au gré du courant, très loin de l'instant présent. Le monde nous semble merveilleux. A l'intérieur de notre corps, l'équilibre des substances biochimiques correspond à notre humeur et notre conscience du moment.

Nous sommes calmes, les battements de notre coeur sont fermes et paisibles. Nous respirons profondément, lentement. Si nous venons de faire un agréable pique-nique, nous pouvons remarquer que la chaleur se dégageant à l'intérieur de notre corps est presque un sentiment de bonheur, tandis que les processus de la digestion assimilent facilement la nourriture et la transforment en aliments pour nos cellules.

Cet équilibre biochimique est appelé « réaction parasympathique » ou capacité du corps à se décontracter. A travers tout le cerveau et le système nerveux, les substances biochimiques permettant la relaxation, peuvent prédominer, donnant à notre corps le calme et le repos dont il a besoin pour maintenir la vie. On sait que les Endorphines jouent un rôle dans la baisse de la pression artérielle, le ralentissement des battements du coeur, les processus digestifs, la décontraction des muscles, le sentiment d'une conscience euphorique. Il est bien possible qu'elles constituent les propres tranquillisants du corps. La réaction parasympathique prédomine également lorsque notre corps doit se remettre d'une maladie ou d'une blessure.

Tandis que nous nous reposons après notre repas, nos vaisseaux sanguins se dilatent, notre circulation sanguine s'améliore. Toute sensation de douleur et de tension s'est évanouie. Notre conscience est paisible, euphorique. La rivière s'écoule tranquillement à nos pieds, et nous voilà endormis, baignés dans la lumière irisée du soleil.

Puis arrive l'automne et l'air est encore plus calme. Le niveau de l'eau a décru, il ne subsiste plus que quelques flaques dans les rochers. Le sentiment de vie et d'activité est à marée basse. Les feuilles planent, immobiles, aucune brise ne les agite. Les animaux sauvages ne viennent plus s'abreuver, car les points d'eau n'ont pas été alimentés depuis trop longtemps.

Nous imaginerons que nous avons dormi profondément, paisiblement, beaucoup trop longtemps. Peut-être pouvons nous ressentir une impression de puissante léthargie, l'élan vital a disparu, comme si nous aussi, étions restés stagnants. Aucun flux d'activité régénératrice n'est venu alimenter notre vie. Ce sentiment peut nous engloutir dans la dépression, nous rendre indifférents aux sensations, nous donner l'impression que nous n'existons pas. Les substances biochimiques parasympathiques prédominent de manière excessive. L'impression de relaxation ressentie auparavant s'est trop développée, rompant l'équilibre.

Arrivés à ce point de notre comparaison, il se peut que nous éprouvions l'envie de nous lever, de bouger, de secouer les toiles d'araignée qui obscurcissent notre conscience, et de stimuler notre existence. A l'Université de Wisconsin, les chercheurs étudiant l'activité physique, ont également noté cette réaction. Un groupe de psychiatres, de psychologues et un moniteur d'éducation physique ont mis au point l'utilisation de la thérapie par stimulation, c'est-à-dire la course comme moyen d'améliorer l'humeur et la motivation de personnes asthéniques et dépressives. Cette réaction, c'est bien sûr le mécanisme rééquilibrant du corps. Notre désir biochimique intense de stimulation est maintenant tout aussi puissant que l'était la réaction qui nous poussait impérativement à dormir.

Par ce désir biochimique impérieux, nous cherchons maintenant à ressentir cet afflux biochimique actif inverse, c'est-à-dire la réaction sympathique, appelée communément et de manière évocatrice réaction « d'affrontement ou de fuite ». Lorsque le système nerveux sympathique est activé par un facteur stressant, notre corps se trouve assisté biochimiquement pour réagir de façon efficace. Les battements de notre coeur s'accélèrent, de même que notre respiration qui devient plus profonde et plus aisée, nos pensées sont plus rapides et plus claires. Nous sommes physiquement et mentalement préparés à nous battre ou prendre nos jambes à notre cou, réalisant immédiatement quelle solution est la meilleure.

Ainsi, notre corps possède un mécanisme équilibrant appelé « système nerveux autonome ». Deux types de réaction, désignés sous le nom de branches — parasympathiques et sympathiques —, agissent dans des directions apparemment opposées. Par cet équilibrage, les réactions parasympathiques et sympathiques dépendent l'une de l'autre, contribuant ainsi à la régulation de notre santé.

Les Endorphines jouent un rôle de médiateur en entremêlant les systèmes sympathiques et parasympathiques, agissant comme négociateurs, tendant à établir un équilibre interdépendant permanent. Quand une réaction prédomine, comme dans le cas d'un déséquilibre parasympathique lié à un état dépressif, une stimulation est nécessaire pour renvoyer l'équilibre vers une réaction sympathique.

Ainsi que nous l'avons appris précédemment au cours de ce chapitre, on utilise la stimulation d'un exercice physique intensifié comme thérapeutique anti-dépressive. Les Endorphines se trouvent activées par cette stimulation. Sous la poussée de l'exercice physique, le corps se dégage de l'emprise excessive du mode dépressif parasympathique. L'impression de « planer » que ressentent les coureurs lorsqu'ils poussent leur corps au-delà de son seuil de tolérance physique, nous fournit une indication concernant le rôle de médiateur que jouent les Endorphines dans ce processus d'équilibrage.

L'adapatation aux marées du stress

Notre adaptation au stress constitue également un exemple de l'équilibre qui existe entre les réactions parasympathiques et sympathiques. Le Dr. Hans Seyle, éminent spécialiste des phénomènes du stress, a étudié en profondeur et décrit ce processus d'adaptation. Selon ses observations, nous réagissons biochimiquement face au stress par un processus qui nous permet d'y faire face. Quand nous nous trouvons confrontés au stress, notre corps est conçu pour réagir à cette attaque par une série de modifications biochimiques progressives qui préservent l'équilibre permanent de la santé.

C'est en observant ce cycle d'adaptation, que le Dr. Hans Seyle a élaboré ses théories du stress dans les années cinquante, bien avant la découverte des Endorphines. Nous savons à présent que le stress constitue un stimulus qui peut déclencher les Endorphines. Par le pouvoir euphorisant du processus des Endorphines, nous bénéficions d'une assitance physique et émotionnelle permettant l'adaptation à ce stress, en préservant une fois encore, l'équilibre parasympathique-sympathique du corps.

Dans un numéro de la revue « *Psychology today* » de 1981, le Dr. Agu Pert, pharmacologue à l'Institut National de la Santé Mentale, a passé en revue les études montrant de quelle manière les Endorphines nous assistent dans l'adaptation au stress. L'article du Dr. Pert cite de nombreuses études sur le facteur de stress que constitue la douleur elle-même. Ces études ont montré que notre corps réagit à un stimulus douloureux par la fabrication d'Endorphines qui permet le soulagement de la douleur et l'adaptation au stress.

Le Dr. Lars Terenius, d'Uppsala en Suède, pionnier de la recherche sur les Endorphines, a écrit un compte-rendu semblable dans un récent éditorial pour le « *American Heart Journal* ». Le Dr. Terenius laisse entendre que les Endorphines sont égalementment impliquées dans l'adaptation parasympathique à l'anxiété que l'on ressent, en percevant l'augmentation sympathique des facteurs stressants dans son existence.

Dans un article, qui constitue peut-être le premier exemple clairement documenté concernant la réaction euphorique parasympathique au stress, le Dr. Henry K.Beecher rapporte une observation importante qu'il a faite pendant la deuxième guerre mondiale. Au cours des combats, les médecins militaires qui assistaient les blessés, remarquèrent un étrange phénomène.

De nombreux soldats, qui avaient été gravement mutilés au front, témoignaient d'un comportement connu sous le nom d'euphorie du combat. Tandis que l'on pansait leurs blessures, ces soldats demeuraient très calmes et sereins, manifestant une tranquillité de nature parasympathique. Ils paraissaient même heureux, indifférents, semble-t-il, à leurs graves blessures. Bien qu'ils fussent conscients de ces tourments évidents, ils riaient et plaisantaient plutôt que de ressentir la réaction sympathique de douleur intense et d'anxiété.

Nous avons vu comment la stimulation du combat et les autres facteurs de stress sympathiques semblent déclencher une réaction parasympathique des Endorphines. Se pourrait-il que les Endorphines soient déclenchées par d'autres types de stimuli ? A l'Université de Calgary à Alberta, au Canada, des chercheurs se sont posés la même question. Ils ont découvert que les Endorphines sont provoquées par la stimulation d'un changement extrême de température. Vous avez peut-être, vous mêmes, tenté à de nombreuses reprises cette même expérience sur les Endorphines en remarquant qu'un bloc de glace peut soulager un mal de tête. Nous savons maintenant que le stimulus du bloc de glace provoque le flux des Endorphines anesthésiantes, qui vient naturellement soulager le malaise. De la même façon, les compresses chaudes et les vêtements thermogènes sont des remèdes bien connus pour supprimer la douleur provoquée par des lombalgies chroniques.

Dans l'étude effectuée à Calgary, la Naloxone, cette substance opiacée, aux effets inversant ceux de la morphine, déjà évoquée dans le premier chapitre, fut utilisée pour observer les réactions biochimiques au froid et à la chaleur. On découvrit que la Naloxone entravait la faculté que possède le corps à s'adapter aux températures extrêmes. Cette découverte implique que la réaction des Endorphines, que l'on sait contrecarrée par la Naloxone, est partie prenante dans notre aptitude biochimique à nous adapter au climat.

Le résultat de ces recherches, mettant en évidence cette adaptation au climat accentuée par les Endorphines, nous amène à prolonger nos investigations sur le rôle des Endorphines, au sein des processus de notre corps. La réaction d'hibernation, qui constitue à l'évidence un mécanisme de survie chez de nombreux animaux des pays froids, fournit un indice concernant le rôle des Endorphines. Ainsi que nous l'avons noté à partir des découvertes d'Alberta, citées précédemment, les Endorphines sont déclenchées par l'apparition de stress lié à un froid extrême. Obéissant à une attitude de survie, que l'on attribue à l'instinct, les ours et autres mammifères des forêts, mangent abondamment afin d'emmagasiner l'énergie qui les préservera de la famine hivernale. On considère maintenant que les Endorphines contribuent à renforcer biochimiquement l'instinct d'hibernation.

Cette information rappelle la comparaison du pique-nique près de la cascade. Tandis que vous imaginiez ce déjeuner, nourrissant votre corps, la réaction parasympathique commençait à provoquer en vous la détente et le désir impérieux de dormir. Les petits sommes et l'hibernation sont deux exemples des réactions parasympathiques des Endorphines dont les unes sont courtes et les autres longues.

Vous rappellez-vous que l'absorption de nourriture procure souvent une sensation agréable ? Dans le passé, lorsque la nourriture n'était pas aussi abondante, la tendance à maintenir un excès de poids, était considérée comme une réserve pour se prémunir contre la famine, un compte d'épargne pour parer aux pertes dues au mauvais temps et aux maladies, telles que la tuberculose et la peste. Les gens les plus gros avaient une espérance de vie supérieure. C'étaient eux qui survivaient. Ce n'est que depuis quelques décennies et dans les pays où la technologie fournit d'importantes quantités de nourriture que l'obésité apparaît comme une accoutumance éventuelle à la nourriture. Les Endorphines seraient-elles les substances bio-chimiques responsables de la réaction de survie qui consiste à s'alimenter correctement ? Le fait de manger crée-t-il potentiel-lement l'accoutumance parce que des substances biochimiques parasympathiques puissantes et euphorisantes renforcent le comportement alimentaire ?

Puisque l'hibernation illustre le renforcement instinctif des Endorphines qui nous incite à manger davantage pour survivre, nous pourrions facilement établir un lien entre la réaction des Endorphines créant l'accoutumance et le comportement eupho-risant dû à une absorption excessive de nourriture.

On peut établir une corrélation entre l'euphorie biochimique et l'impression de satisfaction, voire de bonheur que l'on ressent après un repas copieux. A partir de cette euphorie dûe à l'absorp-tion de nourriture, de nombreuses personnes réagissent à leur impression de stress sympathique en mangeant à l'excès. C'est ainsi qu'un mécanisme de survie peut devenir une utilisation mal adaptée de l'équilibre parasympathique qui tend à faire face au stress.

C'est pourquoi il n'est pas surprenant que les études aient effectivement établi un lien entre l'excès alimentaire induit par le stress et les Endorphines. Des chercheurs de l'Université du Minnesota à Minneapolis, ont suggéré que c'était l'action eupho-risante et anesthésiante des Endorphines qui conduisait à l'excès alimentaire afin de faire face au stress.

A l'Université de Temple, le Dr. David L. Margules, a établi une corrélation entre les niveaux d'Endorphines accrus et l'obésité qui se développe en réaction au stress. Dans la revue « *Psychology today* », il suggère des exemples de traitement de ce comportement. A nouveau on a eu recours à la naloxone, cet antidote de l'opium. Le Dr. Margules et ses collègues éveillèrent des hamsters en hibernation en leur injectant de la naloxone. Si la naloxone peut inverser les effets d'un coma hibernatoire, pourrait-elle, par conséquent, constituer un traitement de l'obésité provoquée par un excès alimentaire, dans le cadre d'une accoutumance par les Endorphines ?

Dans plusieurs cas de recherche, la naloxone a été utilisée pour réduire la prise de poids. La plupart de ces recherches ont été effectuées sur des souris et des rats qui sont génétiquement obèses et sujets à la boulimie. Comparés aux animaux maigres, ces rongeurs ont également des niveaux d'Endorphines plus élevés dans le sang et les glandes pituitaires. Lorsque l'on administra de la naloxone aux animaux génétiquement plus gros, ils cessèrent leur réaction boulimique. (Ces mêmes doses n'affectèrent pas des animaux maigres).

De plus, un chercheur a rapporté qu'un essai de prise de naloxone avait produit sur lui-même une perte de poids « impressionnante ».

A travers ces exemples, nous avons vu de quelle manière notre corps réagit au stress sympathique. Par ces réactions, nous développons des comportements préférentiels, augmentant notre capacité sympathique à maintenir un équilibre, lorsque nous traversons une période de stress. Nous avons tout particulièrement noté que les chercheurs commencent à montrer de quelle façon les Endorphines assistent ces adaptations parasympathiques grâce à leurs puissantes capacités propres. Les Endorphines peuvent nous aider à nous adapter, nous maintenant dans un état de détente, de bien-être, et même de bonheur, en période de stress. Les Endorphines nous aident à accroître notre potentiel de survie en temps de famine.

Quelquefois cependant, les Endorphines peuvent nous aider à faire face tout en créant des effets secondaires indésirables. Par exemple, faire face au stress par la boulimie peut conduire à l'obésité.

Quand l'adaptation devient inadaptation.

La réaction parasympathique peut prendre le dessus pour se transformer en facteur de risque potentiellement aussi néfaste que l'agent stressant sympathique originel lui-même. Les Endorphines jouent un rôle dans cette forme plus pernicieuse d'adaptation. Nous nommerons cette dominance parasympathique néfaste « inadaptation », et étudierons de quelle manière le fonctionnement des Endorphines assistent également cette réaction.

Vous avez probablement remarqué que chaque individu réagit à sa façon au stress qu'il rencontre. Certains paraissent n'éprouver aucune difficulté à y faire face, se montrent moins préoccupés par un défi initial, souffrent moins des petits tracas quotidiens et conservent leur calme plus longtemps lorsqu'ils traversent une mauvaise passe interminable. Il semblerait que ces individus possèdent une structure biochimique qui leur permet de supporter tout cela. C'est tout le contraire pour d'autres, dont les « fusibles à faible durée » sont aussi de nature biochimique. Il semble qu'il leur manque un équilibre parasympathique naturel. De menus détails ou modifications dans leur routine génèrent un stress sympathique. Ils sont plus souvent dépassés par les événements, leur capacité d'adaptation se trouve beaucoup plus rapidement épuisée, et les facteurs stressants ont sur eux des effets dévastateurs.

En théorie, nous pouvons imaginer une réaction des Endorphines variable qui aide à expliquer les différences de réactions face au stress. Ces dernières nous permettent d'obtenir une vision claire de l'inadaptation. Nous connaissons déjà l'importance de niveaux d'Endorphines élevés dans la réaction de détente. Les personnes qui paraissent faire face au stress sans problème bénéficient peut-être d'Endorphines parasympathiques plus constantes et plus résistantes. Ainsi cela leur permettrait de se détendre régulièrement. Il se peut que les gens irritables et fortement stressés aient réellement une alimentation en Endorphines plus pauvre ou moins de récepteurs d'Endorphines qui leur permettraient de s'adapter naturellement à la vie. Il se pourrait bel et bien que ces personnes qui fonctionnent sur des niveaux d'euphorie biochimique moindres, recherchent la réaction parasympathique des Endorphines d'une façon inadaptée.

Par exemple, imaginez quelqu'un qui a le malheur de s'engager sur le chemin de la toxicomanie. Il est hanté par l'idée que la sensation artificielle d'un plaisir frelaté le délivrera du stress. Peut-être vit-il emprisonné dans ses problèmes et son stress. Enfermée dans ce stress excessif, cette personne ne bénéficiera peut-être pas du nouvel afflux biochimique parasympathique qui lui permettrait de sentir qu'il est possible d'accéder au bien-être et à la relaxation. Et cependant un désir biologique intense, peut-être dû à une diminution d'Endorphines donne à ce toxicomane un puissant sentiment de frustration. Voilà le décor planté pour un pourvoyeur de drogue peu scrupuleux qui n'a plus qu'à intervenir, tentant le toxicomane grâce au processus d'accoutumance artificiellement provoqué.

Passons brièvement en revue l'étape suivante, car le processus d'accoutumance nous aidera à mieux comprendre en quoi consiste le rôle joué par les Endorphines dans les maladies de l'inadaptation. Une dose initiale d'une drogue créant l'accoutumance est entamée. Il s'agit d'une dose relativement faible, juste de quoi passer la journée. Voilà qui fait l'affaire et le monde semble moins dur, un peu plus facile à supporter. Lorsque cette dose produit son effet, le toxicomane se sent immédiatement heureux et soulagé. Une montée artificielle d'euphorie survient.

Rappelez vous, nous savons à présent que cela se produit parce que l'action de la drogue reproduit l'impression de planer, phénomène naturel parasympathique des Endorphines, induites par le stimulus du stress ou d'une activité physique accrue. Bien vite, les effets artificiels de la drogue s'estompent, faisant à nouveau place a une sensation d'épuisement, de manque, et l'envie de drogue réapparaît. Dans cette triste existence, plus rien n'engendre la stimulation qui déclenchera le flot naturel de la rivière des Endorphines, tandis que le toxicomane croit que la substance extérieure peut seule le faire « décoller ».

Sous l'action du désir impérieux de drogue et du stress correspondant, les doses s'enchaînent. Peut-être ces doses ont-elles une action aussi durable et aussi efficace, peut-être n'est-ce pas le cas. La dose suivante pourrait bien arriver plus vite et plus forte. A chaque fois que la quantité et la fréquence s'accroissent, plus le besoin d'un soulagement artificiel augmente, plus la réaction affaiblie des processus biochimiques propres du corps diminue.

Le problème s'aggrave au fur et à mesure que la réaction naturelle des Endorphines semble s'affaiblir, débouchant finalement sur une stagnation et un épuisement complets.

Tandis que le cycle de l'accoutumance se poursuit, le toxicomane réclame toujours davantage de ce plaisir artificiel. Le processus de tolérance/dépendance est facile à comprendre dans un cas d'accoutumance à la drogue. Mais cette inadaptation apparaît car son enchaînement est conçu au sein de notre propre flux d'Endorphines, survenant naturellement à l'intérieur de la propre rivière biochimique du cerveau.

On peut facilement intégrer les drogues créant l'accoutumance dans notre théorie. Dans ces exemples extrêmes, un toxicomane limite la réaction stimulation/stress à une substance qui limite à son tour la capacité du corps à faire face au stress. La drogue elle-même constitue la seule adaptation euphorique au stress sur laquelle un toxicomane puisse compter.

Mais qu'en est-il d'autres types de réactions créant l'accoutumance ? Nous savons à quel point la sensation de planer créée naturellement par les Endorphines peut engendrer l'accoutumance. Cette réaction des Endorphines joue-t-elle un quelconque rôle dans l'inadaptation occasionnée par d'autres phénomènes d'accoutumance plus licites et socialement plus acceptables ? Les cycles du flux des Endorphines pourraient-ils être responsables des inadaptations dont l'action devient préjudiciable pour notre santé ?

Les Endorphines, l'alcool et la cigarette

Ainsi que vous pouvez le deviner, de nombreux chercheurs ont tenté de répondre à cette question précise. Nous disposons par conséquent d'une quantité d'études à ce sujet. Vous pouvez vous demander quel lien existe entre l'utilisation de l'alcool et le flux des Endorphines. L'alcool est une substance employée pour imiter la réaction parasympathique de calme et de relaxation. L'utilisation de l'alcool peut devenir abusive lorsque quelqu'un en absorbe dans le but de faire face à l'anxiété et aux facteurs stressants de l'environnement. Ainsi, un cycle d'inadaptation déclenche, d'une façon potentiellement néfaste, une réaction parasympathique artificielle au stress. C'est parce que l'absorption immodérée d'alcool est si préjudiciable à notre santé et à notre société que l'on peut en considérer l'abus comme une manifestation de notre inadaptation au stress.

Il n'est pas étonnant, vu l'accoutumance que peut créer l'absorption d'alcool, que l'on se soit beaucoup penché sur le lien entre les mécanismes de l'alcoolisme et la présence, ou l'absence, d'Endorphines dans notre corps. Lorsque l'on découvrit initialement les Endorphines, les chercheurs s'enthousiasmèrent à l'idée que l'utilisation d'alcool pût déclencher l'apparition d'Endorphines naturelles. Une autre éventualié était que l'alcool lui-même pût s'ajuster dans la serrure des sites récepteurs, induisant par là même une accoutumance comparable à celle de la morphine et de l'héroïne.

Ces réponses toutes simples n'ont pas encore été données. Cependant une chaîne complexe d'événements biochimiques, qui commence avec l'absorption d'alcool, retient actuellement fortement l'attention des chercheurs étudiant les Endorphines.

Des savants ont poursuivi cette étude à travers le monde entier, dans des endroits aussi divers que les U.S.A, l'Amérique du Sud, l'Australie et l'Europe. A l'Institut de Psychiatrie Max Planck de Münich, la poussée principale en matière de recherche sur les Endorphines s'est concrétisée par la découverte du lien existant entre Endorphines et accoutumance à l'alcool.

Une branche de la recherche s'est focalisée sur l'accoutumance à l'alcool et la déficience des Endorphines qui lui correspond. A l'Université de Cagliari à Pavie, Italie, des savants ont utilisé des expériences pour étayer la théorie selon laquelle l'utilisation chronique d'alcool anéantit, en quelque sorte, l'aptitude du corps à maintenir un flux d'Endorphines propre à l'organisme. S'il en est ainsi, argumentent-ils, c'est que l'appétit pour l'euphorie biochimique des Endorphines accentue la recherche de l'impression parasympathique artificielle que procure l'alcool.

Vous vous posez peut-être également des questions concernant une autre inadaptation au stress très répandue : l'utilisation de la cigarette. En effet, les spécialistes du cerveau se sont également interrogés à ce propos. Il est bien connu que le tabac crée une forte dépendance. Tout simplement, les gens se sentent bien quand ils fument. Cela devient une habitude qui procure aux fumeurs une impression de calme et de relaxation. Une fois encore, l'équilibre parasympathique naturel est provoqué artificiellement.

De plus, les fumeurs déclarent que, pendant qu'ils sont en train de fumer, ils se sentent moins fatigués, et même tout à fait alertes, et capables de se souvenir des choses de façon particulièrement claire. Souvent lorsque nous nous sentons bien et détendus, nous remarquons également une certaine somnolence, nos sens sont émoussés et nous sombrons fréquemment dans le sommeil. Mais le fait de fumer engendre un type de calme bien particulier, un calme qui permet aux fumeurs de demeurer à la fois alertes et détendus. A l'heure actuelle, la nicotine est la seule drogue connue qui ait cette action.

Dans un numéro de la revue « *Brain/Mind Bulletins* » ont été publiés des compte-rendus de recherches concernant le tabac et les Endorphines. A l'Université du Connecticut, le Dr. Ovide Pommerleau tente d'identifier des substances biochimiques dont l'action est accentuée par la nicotine.

Avant les travaux du Dr. Pommerleau, les spécialistes du cerveau pensaient que les Endorphines jouaient un rôle dans la sensation de plaisir associée à l'utilisation de la nicotine. Ses résultats ont montré qu'une production d'Endorphines accrue correspond bien aux niveaux de nicotine dans le sang. Mais ces découvertes ont fait plus qu'établir une simple corrélation entre l'utilisation de la nicotine et l'accroissement des Endorphines.

Notant la vivacité bénéfique liée à la cigarette, le Dr. Pommerleau a également mis à jour une augmentation d'autres substances biochimiques du cerveau. Il a découvert que la nicotine renforce l'action de la vasopressine qui joue un rôle d'assistance de la mémoire. Il a également noté l'augmentation sous l'influence de la cigarette de l'épinéphrine qui renforce l'éveil. De plus, il a découvert que la nicotine augmente les taux de dopamine que l'on considérait, avant la découverte des Endorphines, comme l'agent biochimique cérébral de la notion de gratification.

Bien que cette liste de substances biochimiques cérébrales puisse faire apparaître la cigarette comme plus séduisante, des découvertes supplémentaires démontrent qu'elle est en fait dangereuse. C'est le stress engendré par la nicotine qui provoque ces réactions. Cela vous rappelle-t-il quelque chose ? Nous avons déjà appris que le stress peut constituer une stimulation pour des substances biochimiques euphorisantes entrant en action naturellement, tandis que le cycle s'adapte à ces niveaux plus élevés, renforçant le besoin de fumer. De cette façon, la capacité réelle de ces mêmes substances biochimiques à réagir à un stress croissant se trouve diminuée. En d'autres termes, l'utilisation de la nicotine gaspille les réserves du corps et sa capacité à maintenir l'équilibre de la santé et à se défendre contre la maladie.

Les informations du Dr. Pommerleau nous fournissent une autre indication importante concernant la nature déstabilisante du tabac. En dépit de l'accroissement logique des substances biochimiques qui provoquent le plaisir et la vivacité, les substances qui renforcent notre réaction immunitaire — l'aptitude que nous avons à combattre la maladie et à guérir — ne sont pas renforcées par la cigarette. Les autres effets néfastes de la nicotine ont été abondamment décrits par ailleurs; il n'est pas besoin, par conséquent, de s'appesantir sur les méfaits du tabac.

Il est intéressant de noter, une fois encore, que les mécanismes biochimiques du bonheur sont souvent liés à ceux de la santé. Cependant, dans le cas du plaisir accentué par la nicotine, la puissance immunitaire du corps ne correspond pas à l'euphorie. Les autres effets néfastes de la cigarette poursuivent leur chemin en direction des processus du malaise à l'intérieur des poumons et du système circulatoire. Les fumeurs utilisent la nicotine afin de se sentir bien, d'induire des réactions biochimiques parasympathiques, de demeurer vifs et détendus, d'être préparés à affronter les vissicitudes de la vie et le stress.

Par cette substance euphorisante et artificielle, à l'écoute du cerveau émotionnel, les Endorphines et autres substances biochimiques apparentées renforcent malheureusement l'utilisation inadaptée et néfaste du système biochimique corporel. Par la cigarette, l'adaptation au stress de la vie est induite de manière erronée par le flux des substances biochimiques euphorisantes. Cependant, ce flux ne correspond pas à une force immunitaire et un processus morbide commence à altérer l'état de la santé. Par un équilibre permanent des substances biochimiques sympathiques et parasympathiques, nous nous adaptons au stimulus de la vie.

Nous avons observé que la stimulation peut se manifester sous la forme du stress physique occasionné par l'exercice et le changement de température. Le fait de manger constitue une réaction analogue au stimulus physique, de même que les substances extérieures, telles que l'alcool et la nicotine qui sont deux formes de stimuli artificiels imitant cet équilibre naturel.

A l'écoute du cerveau émotionnel

Les stimuli émotionnels et mentaux affectent également l'équilibre parasympathique/sympathique qui tend vers notre bien-être. Afin de comprendre cela, remémorez-vous la comparaison du lac de montagne évoquée au premier chapitre. Notre lac constituait un réservoir de pensées et de sentiments, l'énergie que nous fait parvenir le stimulus de nos cinq sens. Ce réservoir renferme les impressions de la mémoire provenant de stimuli précédents, de même que les impressions sensorielles dûes aux sensations présentes. Les deux se combinent pour devenir le contenu émotionnel, se déversant de ce réservoir en rivières biochimiques pour influencer le corps.

Ce réservoir est comparable à la couche médiane du cerveau, connue sous le nom de cerveau limbique. Les recherches ont établi que cette couche est associée à nos sentiments de récompense et de punition, et représente également un mécanisme régulateur de la santé primordial. La stimulation de ce centre cérébral génère nos sensations de plaisir et de douleur.

Ainsi que vous pouvez déjà le deviner, le cerveau limbique émotionnel est l'objet d'études approfondies dans l'optique de la recherche sur les Endorphines. De plus, cette région du cerveau est riche en sites récepteurs d'Endorphines ou « serrures ». Vous vous rappelez que le Dr. Huda Akil activait le cerveau de ses cobayes à l'aide de stimuli électriques. L'endroit soigneusement choisi sur lequel s'exerce le stimulus se trouve à l'intérieur du cerveau limbique. L'expérience du Dr.Akil utilisait le courant électrique qui se connectait au cerveau limbique pour produire des perceptions amoindries de la douleur chez ces rats.

Une autre étude dans laquelle se trouve impliquée la stimulation du cerveau limbique montre de quelle manière un animal se récompense lui-même par un certain comportement appris. A nouveau les savants introduisirent sans douleur des électrodes à l'intérieur du cerveau limbique des cobayes. Cet appareillage fut connecté aux fils électriques que les animaux pouvaient actionner. Lorsqu'ils découvraient l'issue du labyrinthe de laboratoire spécialement conçu pour les besoins de l'expérience, les rats recevaient une stimulation électrique provenant de l'appareillage connecté à leur cerveau limbique. Ce comportement fut rapidement acquis et répété par les rats. En fait les cobayes choisissaient fréquemment de parcourir le labyrinthe en courant, plutôt que de toucher à la nourriture, parce que la stimulation électrique produisait une réaction limbique de plaisir.

S'agit-il à nouveau des Endorphines ? Certainement. On a découvert que les Endorphines jouent un rôle à travers la couche médiane du cerveau limbique. A partir de ce que nous savons déjà concernant la puissance des Endorphines, il est facile de comprendre pourquoi les cobayes préféraient le plaisir biochimique produit par stimulation électrique de leur cerveau limbique. Une tâche à accomplir, un comportement acquis, un plaisir stimulé électriquement, le choix de recommencer, et voilà que s'élabore un cycle limbique, à l'intérieur duquel les Endorphines renforcent ce comportement acquis.

Rappelez-vous, comme au premier chapitre, un moment où vous avez éprouvé une sensation de bonheur déclenchant un souvenir qui demeure encore vivace. L'événement initial était un stimulus dont la puissance recevait un appui biochimique supplémentaire, permettant au souvenir de demeurer intact dans votre esprit. Ainsi que nous l'avons déjà appris, votre sensation se trouvait alors renforcée ou accentuée par un puissant stimulus, et un équlibre biochimique correspondant au sein de votre cerveau. Votre sensation était rattachée à votre souvenir par un état d'euphorie et d'excitation que vous enregistriez dans votre cerveau. Les Endorphines se trouvent impliquées en tant qu'agents biochimiques responsables de la gratification euphorique qui liait votre cerveau à un souvenir puissant.

A leur tour, ces souvenirs agréables puissants aident à déterminer les choix que nous effectuons, de quelle manière nous parcourons chaque jour notre propre labyrinthe, quelquefois même sans nourriture. Plus nos souvenirs basés sur le plaisir sont puissants, plus nous sommes susceptibles d'exprimer à nouveau des comportements associés à ces souvenirs. Si, par exemple, vous avez été élevé dans un environnement familial affectueux, le souvenir que vous avez de cette sensation affecte vos choix émotionnels pour ce qui touche à la famille.

Il se peut qu'un mécanisme analogue soit impliqué dans la stimulation négative d'une douleur émotionnelle et le comportement d'évitement qui lui correspond. Evoquez un souvenir désagréable; c'est-à-dire un souvenir dans lequel la peur et l'inquiétude étaient probablement présentes de manière consciente. A nouveau, et cette fois à cause du caractère désagréable qui intervient, il est fort possible que les Endorphines provoquées par le stress aient rattaché votre souvenir à cet événement. Plusieurs études concernant la motivation et le comportement engendrés par la peur ont établi le lien existant entre les Endorphines et l'apprentissage de ce que l'on appelle la réaction « d'évitement ».

Pour reprendre l'exemple de la petite enfance, il se peut que vous ayez subi une interaction négative régulière avec vos parents ou l'un d'entre eux. Dans ce cas les impressions que vous laissent ces souvenirs peuvent avoir un impact négatif sur vos relations affectives. Quand nous éprouvons une sensation que nous ne voulons pas renouveler, les Endorphines, grâce à leur renforcement biochimique provoqué par le stress, participent à la création de cette réaction d'évitement, nous aidant à apprendre ce que nous devrions éviter.

A partir de ce processus biochimique permanent dans lequel interviennent l'apprentissage et la mémoire, notre cerveau traite l'information afin de définir à la fois ce que nous aimons et ce que nous préférons éviter. De la même façon que nos émotions intérieures sont colorées par nos sensations du moment, et vice versa, nous effectuons des choix conscients et inconscients basés sur une stimulation continue en direction et en provenance de notre cerveau limbique émotionnel.

Nous savons que les Endorphines sont impliquées dans le plaisir et la douleur que nous ressentons. Les Endorphines nous aident à nous adapter au stress. Nous adaptant au courant de la vie, nous enregistrons des sensations passées et en ajoutons de nouvelles. Notre comportement et nos choix reflètent ce système biochimique émotionnel, et nous nous sentons confortés dans ces choix par la famille, les biens matériels et même les idées et les engagements (ou par le fait que nous les évitons).

Par le biais de ces adaptations peuvent émerger des troubles de la personnalité. Plus notre connaissance des Endorphines et de leur capacité à créer l'accoutumance s'élargit, plus il nous apparaît clairement que nos adaptations peuvent nous inciter à developper des déséquilibres de la personnalité en réaction au stress.

Le flux et le reflux de la dépression

Par exemple, ainsi que nous l'avons mentionné, on a établi le rôle que jouent les Endorphines dans un des déséquilibres de la personnalité les plus courants, l'état dit « dépressif ». En fait, la dépression est une maladie très répandue. En profondeur, cet état comprend à la fois une limitation et la frustration de se sentir limité. C'est comme si la personne dépressive s'enfonçait toujours davantage dans cet état et qu'il soit de plus en plus difficile de lui venir en aide.

Vous avez peut-être connu des personnes dépressives ou éprouvé vous même cette sensation. Lorsque vous vous trouvez plongé dans cet état, il semblerait que votre existence même soit amoindrie, ne soit plus alimentée en énergie régénératrice, que, leur courant tari, votre enthousiasme et votre vitalité se soient évanouis. Vous vous sentez épuisé, peut-être aussi irritable et même agressif. Vous sombrez alors de cet état de dépression à celui de prostration, attendant que le flux vital vienne vous ranimer.

La communauté scientifique sait depuis longtemps que les maladies mentales telles que la dépression sont, d'une manière ou d'une autre, des déséquilibres dans le courant biochimique du cerveau. Dans cette optique, on a conçu de nombreuses thérapies pour traiter ce déséquilibre en prescrivant des médicaments. On a élaboré et utilisé ces drogues pour tenter de modifier les déséquilibres biochimiques au sein du cerveau.

Malheureusement, bon nombre de ces drogues produisent des effets secondaires indésirables. Dans certains cas, elles reproduisent des substances biochimiques manquantes, sans simuler totalement cependant l'équilibre biochimique dont jouit une personne mentalement saine.

La conception des drogues utilisées dans le traitement des maladies mentales n'en est qu'à ses premiers débuts. Sachant cela, les chercheurs travaillant sur la santé mentale n'ont pas attendu pour se mettre à l'étude des Endorphines et des sensations euphoriques qui y sont rattachées. Mais bien qu'on y ait consacré un nombre incalculable d'heures de recherche et des centaines d'articles, les réponses simples sont encore à venir. A partir des données concernant les Endorphines et la dépression, commence à se dessiner un puzzle complexe se rapportant à la nature du courant biochimique.

Nous pouvons reconnaître la différence qui existe entre une personne dépressive et une autre, positive et débordant d'enthousiasme. Cette dernière dégage l'énergie et la vitalité, qualités notablement absentes chez un individu déprimé. Nous appuyant sur cette conception, nous serions enclins à nous poser la question suivante : la dépression ne semblerait-elle pas se caractériser par un manque d'Endorphines, dans lequel le flux de bonheur et de vitalité semblerait être au plus bas ?

Nous pourrions être tentés de le penser, car les Endorphines soulagent la douleur et créent le plaisir; plus nous possédons d'Endorphines et mieux nous nous sentons. Bizarrement, quoi qu'il en soit, de nombreux chercheurs sont d'avis que la dépression peut être causée par un excès d'Endorphines. Le Dr. S.Craig Rich et ses collègues ont publié un compte-rendu de recherches citant de nombreuses études qui font apparaître que la dépression est d'une certaine manière liée à des niveaux d'Endorphines accrus. Leur compte-rendu va dans le sens de nos précédentes investigations qui tendaient à démontrer que des niveaux d'Endorphines élevés peuvent être liés à une réaction excessive des substances biochimiques créant la relaxation. Rappelons-nous la comparaison de la sieste après le pique-nique. Après être resté immobile trop longtemps vous imaginiez que vous vous sentiez léthargique, engourdi et insensible aux sensations, à peine en vie. Vous éprouviez alors un sentiment excessif de repos et de détente. Des substances biochimiques parasympathiques, incluant peut-être des Endorphines, prenaient le dessus et brisaient l'équilibre.

Cependant, d'autres chercheurs ont découvert des indices étayant nos autres observations selon lesquelles la dépression pourrait être liée à des niveaux d'Endorphines peu élevés. S'intéressant aux cycles de la reproduction, ils ont noté une affection courante faisant suite à l'accouchement, appelée dépression post-natale. D'innombrables femmes ont éprouvé cela avec plus ou moins d'intensité. Elles assimilent ce sentiment de dépression, au repli sur soi que provoquerait une drogue euphorisante. Elles se sentent en permanence irritables, toujours prêtes à fondre en larmes, renfermées, accablées et dépourvues de motivation pour cette nouvelle vie à l'intérieur de leur existence.

D'après la revue « *Medical Hypotheses* », deux chercheurs travaillant sur les Endorphines, les Dr. Uriel Halbreich et Jean Endicott, considèrent que la dépression post-natale serait constituée par le retrait effectif d'un flux d'Endorphines euphorisant auparavant élevé. Durant la grossesse, les niveaux d'Endorphines s'accroissent de façon significative. Il s'établit une corrélation entre cette découverte et ce que l'on dit généralement de certaines femmes qui se sentent mieux lorsqu'elles sont enceintes. Beaucoup de femmes ont même noté la disparition de certains maux de tête chroniques pendant ce cycle de neuf mois. Bien souvent, on considère la grossesse comme l'une des périodes les plus heureuses de la vie d'une femme. A la lumière de ces déclarations, on ne s'étonnerait guère que des substances biochimiques génératrices de bonheur, telles que les Endorphines, atteignent des niveaux plus élevés pendant cette période.

La prise de poids, la ponction en aliment au détriment de la mère et le paroxysme des douleurs de l'enfantement sont autant de facteurs de stress majeur imposé aux femmes. Les Endorphines dont le niveau s'élève pendant la grossesse, pour culminer au moment de l'accouchement, constitueraient un mécanisme de gratification et de renforcement biochimiques. L'effet anesthésiant des Endorphines assiste la mère enceinte et l'encourage à renouveler son expérience de la maternité.

A l'issue de sa grossesse, la mère vient de vivre neuf mois d'une félicité biochimique croissante. Elle a joui de l'équilibre biochimique dont elle avait besoin pour survivre à un accouchement douloureux et peut-être difficile. Tandis que la naissance fait débuter un nouveau cycle de vie, un changement biochimique survient également. La dépression post-natale éprouvée par la mère — correspondant peut-être à la suppression de niveaux d'Endorphines élevés — est peut-être également comparable à la suppression d'autres états de dépendance. La dépression post-natale apparaît comme une phase de latence biochimique pendant laquelle le corps attend d'être à nouveau alimenté, c'est-à-dire de recevoir le flux euphorisant qui renforcera et récompensera l'engagement renouvelé à la vie.

De plus, ainsi que nous l'avons vu précédemment, des chercheurs à l'Université du Wisconsin utilisent actuellement le stress de l'exercice physique pour améliorer l'état de personnes souffrant de dépression. A partir de ce que nous savons déjà concernant les réactions parasympathique/sympathique du corps, cette activation pourrait se comprendre. En permanence une réaction équilibre l'autre; lorsque les substances biochimiques parasympathiques prennent le dessus, une stimulation est nécessaire pour déclencher le courant sympathique inverse. Ainsi que l'a montré l'étude portant sur l'exercice physique, une personne dépressive qui se mettrait à pratiquer la course, ressentirait une nouvelle stimulation sympathique, un nouvel afflux de vitalité biochimique.

Toujours la stimulation !

La stimulation tendant vers l'équilibre pourrait bien représenter l'amorce d'une solution à notre énigme concernant le rôle des Endorphines dans les états dépressifs. D'une part, il semble que la dépression coïncide avec une raréfaction des substances biochimiques euphorisantes, d'autre part on a également découvert des niveaux d'Endorphines élevés dans des cas de dépression.

On a associé ces mêmes niveaux d'Endorphines élevés à l'ennui, l'asthénie, le manque de motivation, la prédominance excessive des réactions parasympathiques. Ces cas représenteraient-ils un afflux déficient, doublé pourtant d'une forte quantité de substances biochimiques, tout comme un lac dont le niveau est élevé mais qui manque cependant du renouvellement nécessaire pour empêcher ses eaux de stagner ?

Cet exemple, emprunté à la nature, constitue une clé pour comprendre les Endorphines et la dépression. Un lac aux eaux stagnantes manque, soit du renouvellement provenant d'un ruisseau situé en amont, soit de l'écoulement permanent d'un ruisseau évacuant le trop-plein en aval. La stagnation parasympathique qui semble renforcer l'accoutumance à la dépression, est peut-être suffisamment alimentée en stimulation, mais l'issue permettant à ces mêmes stimulations de s'exprimer lui fait peut-être défaut.

L'autre type de dépression, illustré par le repli sur soi qui fait suite à la grossesse, pourrait bien n'être qu'un étiolement des

Endorphines au moment même où le besoin d'un renouvellement se fait sentir. Dans l'un et l'autre cas, l'afflux régénérateur de la stimulation pourrait nous amener à découvrir la solution au problème de la dépression. Grâce à l'émergence et à l'expression de la stimulation, à la fois la stagnation et le courant affaibli de la dépression pourraient céder la place à un nouvel élan biochimique.

Des chercheurs spécialisés en pédiatrie ont découvert un nouvel indice concernant la dépression et la stimulation biochimiques.

De la même façon que les niveaux d'Endorphines se sont élevés dans le corps de la mère pendant la grossesse, les substances biochimiques affectent également le foetus. Dans l'utérus de la mère, le foetus dort profondément, alimenté en oxygène par le cordon ombilical relié au système circulatoire maternel. On sait que la première respiration complète du bébé s'accomplit après la naissance, au moment où l'air, riche en oxygène et sans danger pour l'enfant vient gonfler ses poumons.

Pourquoi ce foetus ne prendrait-il pas une profonde inspiration par inadvertance avant la naissance ? On sait à présent que des niveaux d'Endorphines élevés ralentissent ou affaiblissent la respiration. Sachant cela, on spécule sur le fait que la réaction des Endorphines pendant la grossesse expliquerait que le foetus se limite à une respiration superficielle, évitant ainsi que ses poumons ne soient envahis par l'univers liquide de l'utérus.

Un enfant naît après avoir passé neuf mois pendant lesquels il n'a pas utilisé ses propres poumons en formation. A présent cet enfant doit respirer profondément pour survivre. L'un des risques auxquels doit faire face un nouveau-né est que ses poumons soient trop petits et incomplètement formés; or, de nombreux enfants sont prématurés, ou peut-être leurs poumons se sont-ils developpés lentement et ne sont pas encore en mesure de leur permettre une respiration normale. La respiration, en ce cas, se trouve affaiblie, et l'on s'inquiète pour la vie de l'enfant. (Souvenez-vous qu'un bébé qui pleure bien franchement est signe de poumons sains et solides.)

Des niveaux d'Endorphines élevés se prolongeant au-delà de la période prénatale, affaiblissent la respiration et peuvent maintenir le nourrisson dans un sommeil trop profond, comme s'il recevait encore son alimentation de l'intérieur de l'utérus. Les théories élaborées à propos du prolongement de ces forts taux d'Endorphines jusque dans la petite enfance ont amené la preuve que la mort en bas âge correspond à l'arrêt de la respiration. Lorsque ces cas sont identifiés à temps, le nourrisson peut être ranimé et incité à respirer plus profondément par stimulation.

A nouveau apparaît une corrélation entre des niveaux d'Endorphines élevés et une prédominance parasympathique excessive provoquant la somnolence, un état léthargique qui rend nécessaire l'impulsion d'un stimulus.

La reconstituion du puzzle

Nous sommes en train de découvrir de quelle façon le flux d'Endorphines préserve l'équilibre de la santé. Par des éléments fragmentaires et passionnants, rapportés actuellement par la recherche, nous avons appris que les Endorphines semblent nous aider à réagir au stress en nous y adaptant. Elles renforcent nos choix au niveau de la reproduction. Elles jouent un rôle dans le phénomène de l'appétit gratifié par l'alimentation. Elles nous procurent un calme parasympathique. On peut être tenté de souhaiter des taux d'Endorphines élevés dans tous les cas, mais ces derniers, même à des taux plus réduits, peuvent représenter des déséquilibres indésirables.

Une carence en Endorphines pourrait être la cause biochimique de la dépression ou, autrement dit, une forte quantité d'Endorphines pourrait devenir la mare stagnante dans laquelle débute un état léthargico-dépressif. Alors, exprimé de manière simple, il se peut que les individus apathiques et suralimentés souffrent d'un excès d'Endorphines, tandis que les individus inquiets et sous-alimentés souffriraient d'une diminution de ces mêmes Endorphines. Ces deux exemples constituent des extrêmes entre lesquels s'étale nombre de situations intermédiaires vécues par de nombreux individus tout au long de leur existence.

Les substances biochimiques appellées Endorphines renforcent les choix, bons ou mauvais, que chacun de nous effectue. Nous avons appris qu'un instinct de plaisir qui se cache dans les couches profondes du cerveau renforce notre apprentissage, nos souvenirs. Si nous choisissons d'absorber trop d'alcool, de nicotine et autres drogues, une chaîne complexe d'événements biochimiques se crée à l'intérieur du corps, chaîne qui peut constituer un substitut au déséquilibre des Endorphines.

La vie continue, poursuit son cours au gré du flux et du reflux des événements. Un courant d'Endorphines s'écoule en permanence, puissant, euphorisant, chargé de nous aider à nous adapter à un monde toujours mouvant. A partir de ces éléments, nous pouvons commencer à reconstituer le puzzle des Endorphines. Dans le prochain chapitre, nous poursuivrons notre exploration de la réaction biochimique au stress et de la façon dont on peut utiliser les Endorphines pour aider à surmonter des réactions inadaptées à une vie stressante.

Applications pratiques

Gardant en mémoire le fait qu'une chaleur ou un froid intense peut déclencher les Endorphines, utilisez un sac empli de cubes de glace ou un enveloppement chaud pour soulager vous-même vos petites douleurs. Bien souvent on méprise ces traitements tout simples, car, jusqu'à présent on n'a pas compris le rôle anesthésiant des Endorphines. Demandez conseil à votre médecin pour une application appropriée.

Des découvertes récentes ont montré qu'une activité physique accrue constitue un événement essentiel dans le cadre d'un programme amincissant. L'activité physique stimule les fonctions parasympathiques, renforçant votre métabolisme biochimique. Pendant que vous faites du sport, notez cette sensation de « planer » naturelle que peuvent vous procurer les Endorphines. Utilisez ces impressions agréables pour vous aider à renforcer votre programme amincissant par une activité physique suivie et progressive. Lorsque vous êtes tenté de recourir à des drogues à cause de la pression qu'exerce sur vous votre entourage, rappelez-vous ce que vous avez appris : vos propres Endor-

phines peuvent vous faire « décoller » naturellemnt grâce à la
stimulation, à l'exercice physique, aux activités de toute sorte,
à un violon d'Ingres, à la compagnie d'amis, en bref, à de
nouvelles façons d'appréhender la vie.

Si vous voulez vous arrêter de fumer, réfléchissez d'abord aux
raisons qui vous poussent à fumer. Cela vous procure-t-il à la fois
une sensation de détente et de vivacité mentale ? Demandez-vous
pourquoi vous avez besoin de ces sensations : vous sentez-vous
excessivement tendu, mentalement mal adapté lorsque vous êtes
privé de tabac ? Notez vos impressions dans un journal. Rappelez-vous que votre propre flux biochimique naturel peut fonctionner sans la stimulation de la nicotine, que sans elle vous
pouvez vous sentir bien physiquement et alerte mentalement.
Tandis que vous réduisez ou abandonnez la cigarette, faites
l'expérience de la stimulation que représentent de nouvelles
activités. Notez lesquelles vous sont d'un plus grand secours
dans votre entreprise.

Faites-vous appel à l'alcool pour affronter le stress de la vie ?
Rappelez vous que l'alcool est un substitut utilisé pour obtenir
un sentiment de calme. Demandez vous quelles impressions
l'alcool provoquent en vous : vous aide-t-il à vous débarrasser de
vos inhibitions, à vous sentir plus acceptable, plus accepté et
même aimé ? L'alcool vous aide-t-il à oublier les ennuis dont vous
avez conscience ? De quelle façon pouvez-vous vous procurer
cette stimulation sans avoir recours à une substance extérieure ?
Consignez vos impressions dans un journal.

Lorsque vous êtes déprimé, essayez de déterminer si votre
malaise provient d'une surcharge de stimulations (trop d'Endorphines)ou au contraire d'une insuffisance (pas assez d'Endorphines). Dans les deux cas, il est nécessaire de stimuler la
réaction sympathique inverse. Rappelez vous que la stagnation,
ou la surcharge, liée à un excès d'Endorphines peuvent faire
apparaître la nécessité d'une action qui libère d'une façon ou
d'une autre le flux des Endorphines. Une façon d'y parvenir est
de trouver une nouvelle activité qui vous aide à affronter la
surcharge en stimulation dont vous êtes peut-être l'objet. Dans
d'autres cas, cette surcharge en stimulation peut représenter des

pensées et des sentiments qui n'ont besoin que de s'exprimer physiquement. Soyez créatifs, élaborez des issues constructives à ces stimulations réprimées.

D'autre part, lorsque l'on manque d'Endorphines, cela nécessite de nouvelles stimulations, même si ces dernières semblent être ce que vous désirez le moins alors que vous vous trouvez déjà plongé dans un état dépressif. L'activité physique constitue une thérapie qui a fait ses preuves, faites quelque chose, n'importe quoi. Essayez une activité nouvelle et qui vous incite un peu à sortir de vous même : un violon d'Ingres, un travail bénévole favorisant l'interaction avec la Vie. Lisez un nouveau livre sur votre sujet favori ou trouvez un nouveau centre d'intérêt qui enrichisse votre culture générale. Le travail avec les animaux possède également des vertus thérapeutiques.

Nous avons appris que le corps contient une machinerie complexe composée d'éléments régulateurs et équilibrants. Ces éléments sont remarquablement efficaces, nous permettant de nous adapter à pratiquement tout ce qui est susceptible de nous arriver au cours de notre vie. Mais souvent cette machinerie ne fonctionne pas parfaitement : parfois nos réactions manquent de vigueur et ne nous fournissent pas la protection adéquate; parfois aussi elles sont trop fortes et nous nous blessons réellement par nos propres réactions excessives au stress.

Docteur Hans Seyle

CHAPITRE TROIS

Au fil de la rivière des Endorphines

Comme toutes les saisons précédentes, l'hiver a passé et est maintenant sur le point de s'en aller. Lentement la rivière dégèle et commence à grossir. Regagnons à présent le canyon de notre métaphore. Sur les montagnes s'élevant à nos côtés, c'est la fonte des neiges. Le désert, qui s'étend à vos pieds, attend, assoiffé comme auparavant. Bien que le lieu soit toujours le même et que les rochers n'aient pas bougé, votre position privilégiée s'avère néanmoins différente. La quiétude de l'automne s'en est allée. A présent, c'est de l'eau glacée qui déferle sur les rochers où vous vous étiez reposé par une chaude journée d'été. Bientôt ce sera le jaillissement du printemps apportant avec lui changement et croissance.

Approchez-vous maintenant d'une corniche parmi les rochers où une cascade tumultueuse dévale sur les pierres en contrebas. Une fois votre place trouvée au bord du torrent, vous pouvez même goûter et sentir les gouttelettes sur votre visage. Un arc-en-ciel traverse l'eau. Vous n'entendez que le vacarme du torrent qui se gonfle. Le vent s'engouffre dans le canyon, et vient vivifier votre visage. Tous vos sens s'unissent pour vous offrir la sensation palpitante de l'aventure de la vie. Ainsi chargé d'énergie, les battements de votre coeur s'accélèrent et vous entendez son martèlement. Vous êtes stimulé par la sensation du printemps qui s'éveille en vous. Il se peut même que votre corps frissonne d'impatience. Inspiré par un nouveau départ, vous êtes submergé par un désir de renouveau. Ou bien il se pourrait que vous envisagiez votre vie sous un jour différent. La rivière de vos substances biochimiques s'écoule à présent différemment, dominée par un sentiment de stimulation. C'est pourquoi vous vous

sentez merveilleusement vivant, prêt à tout ou presque, plein
d'espoir.

Cette métaphore vous renvoie au même paysage évoqué au
chapitre deux, avec les mêmes rochers, le même environnement,
peut-être aussi les mêmes gouttes d'eau recyclées. Cependant,
votre nouvelle perception du milieu ambiant a déclenché une
réaction biochimique entièrement différente. Cela constitue
également une réaction au stimulus-stress, à la différence qu'elle
a, à présent, un effet revigorant. Comme nous le savons déjà,
cette réaction est appelée sympathique ou « d'affrontement ou
de fuite ». Grâce à ce stimulus bio-électrique, vos sens se sont
aiguisés et sont même devenus particulièrement perçants. Plein
d'excitation, vous êtes prêt à vivre et survivre, à agir prompte-
ment. Vous êtes préparé à affronter la vie de face ou à battre en
retraite rapidement si nécessaire. Bien sûr, il ne s'agit là que
d'une métaphore, d'un exercice de perception. En utilisant simultanément vos cinq sens, votre faculté à imaginer vous a en-
flammé d'un sentiment d'excitation, de défi ou peut-être même
de peur.

Vous avez visualisé le mécanisme biochimique de votre système nerveux sympathique. Vous avez probablement remarqué,
juste à l'instant, que ce sentiment est diamétralement opposé à
la réaction parasympathique que vous imaginiez avoir ressentie
au chapitre précédent. Le fonctionnement de votre cerveau est
conçu pour réagir de ces deux manières opposées, prêt à
s'adapter aux exigences de la vie. A l'intérieur et entre ces deux
réactions, sympathique et parasympathique, s'établit un vaste
mouvement de va-et-vient équilibrant les émotions et les réactions correspondantes du corps.

A la découverte de l'« eustress » ou stress positif

Dans ce mouvement de va-et-vient de type sympathique, un
sentiment de stress apparaît et grossit, semblable à un cours
d'eau qui dégèle. Mais ce stress ne semble pas accablant, au
contraire, il est agréable et vous fait vibrer. Au lieu de vous
sentir épuisé ou submergé par la marée montante de la vie, il se
peut que vous vous sentiez alerte, revivifié, prêt pour la traversée.

Dans son étude sur les concepts de stress, le Dr.Hans Seyle a remarqué cette différence intéressante que traduisent nos perceptions du stress de la vie. Son livre *Stress without distress* (Stress sans détresse) explique ses observations. Le Dr. Seyle distingue deux sortes de stress.

Il note notre tendance à concevoir le stress comme une menace, voire comme une véritable crise de la vie. Il s'agirait alors de ces événements qui engendrent en nous frustrations, peur et colère; événements face auxquels nous restons désarmés, incapables de réagir de façon constructive. Voilà la première sorte de stress que le Dr. Seyle appelle stress-négatif ou stress-détresse. Nous nous sentons accablés par les événements, bloqués dans des perspectives indésirables pointées sur nous. De nos jours, comme le stress est devenu monnaie courante, on l'accuse d'être responsable de toutes sortes de maux, des ulcères aux migraines, des maladies cardiaques à l'arthrite. En effet, l'aspect négatif du stress pourrait constituer un facteur prédisposant nuisible à la santé.

Dans les chapitres un et deux, nous avons vu qu'au moment où le stress nous assaille, une marée de réactions biochimiques correspondantes monte en nous pour nous aider à y faire face. C'est le cycle d'adaptation à la vie. Comme nous en avons longuement discuté, les Endorphines sont impliquées dans notre faculté d'adaptation. Lorsque nous engageons un combat au cours de ce cycle d'adaptation, il se peut que les événements nous laissent des blessures. Mais les puissants analgésiques que constituent les Endorphines interviennent souvent pour nous aider à affronter ces circonstances, supprimant ainsi toute douleur éventuelle. Si nous choisissons de fuir, nous serons stimulés pour nous sauver plus vite; les Endorphines sont impliquées dans la résistance et la vigueur biochimique requise pour agir ainsi, en nous fournissant un regain d'énergie ou un second souffle qui nous permet d'aller plus loin et de tenir plus longtemps.

Pendant cette période d'adaptation, les Endorphines peuvent nous aider à endurer des situations difficiles, comme les climats extrêmes du Canada dans l'exemple mentionné plus haut. Les

Endorphines participent au renforcement du système immunitaire face aux attaques stressantes des maladies ou des blessures. Les Endorphines agissent également pour nous aider à nous
préparer psychologiquement, émotionnellement et mentalement
à l'arrivée d'un événement que nous pressentons porteur de
stress. Dans une étude examinée à l'Institut Max Planck en RFA,
on nota une augmentation significative du niveau d'Endorphines
dans le sang, chez des étudiants qui, à l'approche d'examens
importants, se sentaient stressés.

Ces découvertes nous fournissent un indice quant à la
deuxième catégorie de stress que le Dr. Seyle a identifiée. C'est
le stress qui nous rend euphoriques, plein d'espoir voire excités
par la vie. Bien avant qu'on ait découvert et identifié les Endorphines, le Dr. Seyle remarqua cette corrélation importante
qui existe entre euphorie et stress. C'est pourquoi il baptisa ce
stress « eustress » ou stress euphorisant, stress positif.

Que savons-nous des Endorphines qui nous permette de trouver un lien avec le stress euphorisant ?

Grâce à la puissante capacité biochimique des Endorphines,
le stress est transformé en une sensation gratifiante et est donc
ressenti de manière positive. C'est le raz-de-marée des défis de
la vie qui nous entraîne avec lui, et nous en éprouvons stimulation, excitation et plaisir, comme si, flottant sur la rivière
Endorphines, nous en franchissions avec allégresse les vagues,
les écueils et les rapides tout blancs d'écume.

Tandis que nous réussissons à nous adapter au cycle du stress,
le stress positif se consolide. Nous commençons à rechercher les
défis, à les appeler. Nous apprécions les stimuli, les regrettant
quand une crise est passée. C'est ainsi qu'apparaît un sentiment
d'accoutumance à la vie. Nous sommes heureux d'être en vie,
ressentant avec plaisir les moments du réveil, du lever, de la
marche, de la course si nécessaire. Nous disons « que la vie
vienne à nous, nous sommes prêts ».

Ayant relevé ces défis avec succès, nous devenons biochimiquement enchaînés par ce sentiment d'euphorie qui renforce

notre sensation de vie. D'une certaine manière, les Endorphines jouent un rôle fondamental dans ce phénomène d'accoutumance. La perception que nous avons de nous-mêmes et du stress positif de la vie nous encourage à adopter un comportement, qui, marqué par notre capacité d'adaptation, nous permette de réussir, de croître et d'apprendre.

Chaque jour, nombre d'entre nous apprécions les bienfaits du stress positif. Nous nous immergeons dans le travail, dans le jeu, et nous en éprouvons du plaisir. Un courant bienfaisant de substances biochimiques cérébrales afflue afin de renforcer notre motivation à agir, et, nous sentant gratifiés, cela renforce notre motivation à recommencer. A chaque facteur stressant que nous défions avec succès, notre capacité d'adaptation se consolide, nous permettant de ressentir le stress de façon positive. Le flux continue. Les personnes qui aiment la sensation de réussite ou de travail acharné ont appris à utiliser cette cascade biochimique de stress euphorisant pour se sentir bien.

Mais, attention maintenant, le flux s'accélère. C'est comme si une vague de chaleur avait fait fondre d'un coup toute la neige. Il nous est difficile d'imaginer rester plus longuement au bord de la cascade à en apprécier ses embruns sur notre visage.

Imaginez la rivière déferlant à l'endroit même où vous vous teniez auparavant, débordant de son lit. Ce qui n'était au début qu'un simple vacarme s'est transformé en coups de tonnerre fracassant vos oreilles. La crue subite menace. La rivière maintenant déchaînée pourrait vous emporter comme un simple caillou.

Travaillomanie et Endorphines

La réaction sympathique de notre biochimie peut, elle aussi, se transformer en crue subite. Il se pourrait qu'une dose modérée de stress ne nous suffise plus pour nous sentir bien et motivés. Endorphines et accoutumance ? Nous voilà de nouveau confrontés à ce concept. Dans un premier temps, on ne prend qu'une petite dose de stress euphorisant, suffisante tout d'abord pour bien accomplir sa journée de travail. Mais ensuite, ce niveau de stress devient un minimum nécessaire pour se sentir bien. On a besoin d'une dose plus forte, d'un défi plus grand. On pense à un nouveau projet, le stress positif promet d'être plus gratifiant encore. Peut-être cela durera-t-il un certain temps, peut-être pas. Toujours plus de stress positif, et encore plus ! Fini les week-ends de repos. Toujours au travail, comme d'habitude, sept jours sur sept.

Bientôt, on oublie de s'arrêter, le stress euphorisant se porte si bien. On ne ressent aucune trace de ce surplus de travail. Il se peut que les Endorphines, puissants analgésiques, masquent les symptômes d'alarme. Lorsque l'on s'entraîne au marathon encore plus longtemps et plus durement, ce « souffle secondaire » ou ce « regain d'énergie » nécessaire pour accroître l'effort se décuple. Il en résulte des kilomètres et des semaines de stress, d'ici au poteau d'arrivée. Ce syndrome a déjà été identifié chez les personnes particulièrement stressées, sujettes aux maladies cardiaques. Une douleur dans la poitrine ? Trois fois rien, à peine a-t-on remarqué. Le stress positif masque les symptômes du stress-détresse imminent et de la maladie qui s'amorce.

C'est en les poussant toujours plus loin et avec plus de rigueur que le « travaillomaniaque » teste ses limites au stress, comme l'héroïnomane ses limites à la drogue. Notre corps est conçu de par ses propres substances biochimiques pour renforcer notre comportement générateur de bien-être, même quand ce processus dure trop longtemps pour être bénéfique.

Le Dr. Seyle a constaté que notre capacité d'adaptation au stress était variable. Chaque fois que nous nous adaptons à lui, la possibilité de s'adapter à un stress supplémentaire en est réduite. Ce cycle s'achève quand on atteint un certain point d'épuisement. La durée de cette phase d'adaptation et sa résistance est fonction des individus. Une personne déprimée, facilement sujette aux effets du stress négatif, est léthargique, démunie des substances biochimiques internes qui renforcent la vitalité dynamisante. A cause de ce manque, il se peut que la dépression empêche l'adaptation à un seul facteur stressant, même si cela n'est que passager.

Cependant, à l'inverse, il se peut que le maniaque enthousiaste du travail résiste même au-delà du signal de détresse du stress négatif. Et ainsi, il ne remarquera même pas un facteur stressant important, qui permettrait à une maladie de gagner malheureusement du terrain. Vous constaterez que ces deux réactions au stress sont extrêmes.

La « travaillomanie » est-elle une véritable accoutumance, gratifiée et renforcée par les substances biochimiques propres à l'organisme, plutôt que par des substances extérieures ?

Au cours des chapitres précédents, nous avons souvent parlé de l'accoutumance. Rappelons à ce sujet quelques points importants. Le potentiel d'accoutumance réside au sein de chacun d'entre nous. De puissantes substances biochimiques qui nous sont propres, gouvernent notre aptitude à apprendre et à créer des liens affectifs ainsi que notre comportement. L'usage abusif de substances induisant l'accoutumance est un exemple regrettable de la réaction externe à cette structure interne.

Rappelez vous les chapitres précédents, où nous avons découvert qu'au sein de la nature même de l'accoutumance, il existe un cycle d'adaptation très important. En ce qui concerne l'accoutumance aux drogues, le cycle tolérance/dépendance est induit de l'extérieur, ce qui apparaît très clairement aux yeux d'un observateur. Mais en matière de « travaillomanie », l'accoutumance interne semble plus subtile car, en l'occurence, la dose induisant l'accoutumance provient des puissantes substances biochimiques internes, qui sont elles-mêmes, provoquées par un comportement acquis.

Messieurs Larry Stein et James D.Belluzzi, chercheurs en matière d'Endorphines à l'Université de Californie, Irvine, ont établi la corrélation qui existe entre un comportement conditionné par une récompense, et les risques d'accoutumance que peuvent générer les Endorphines. Pour leur expérience, les Docteurs Stein et Belluzzi utilisèrent des Enképhalines, un groupe spécial de substances biochimiques cérébrales appartenant à la famille des Endorphines. Ces chercheurs prirent des cobayes et, utilisant des leviers que les animaux pouvaient enclencher spontanément, ils donnèrent des doses d'Enképhalines synthétiques au moment où les leviers étaient actionnés. Il n'y avait chez ces rats aucun signe d'apprentissage préalable à un tel type de comportement. Cette expérience démontra très clairement que les animaux s'accoutumaient à ce comportement grâce au plaisir créé par les doses d'Enképhalines.

Ensuite, grâce à des électrodes placés à des endroits identifiés comme points d'origine des Enképhalines, le fait d'actionner ce levier stimula électriquement une réaction interne des Enképhalines. On observa un cycle d'accoutumance identique, preuve que, dans les deux cas, les Enképhalines sont les substances biochimiques renforçant un comportement qui provoque l'accoutumance.

Nous reviendrons plus tard sur les travaux des Docteurs Stein et Belluzzi. Pour l'heure, l'étude concernant l'accoutumance comportementale induite par les Enképhalines nous fournit de plus amples indications. Les Endorphines disposent indiscutablement d'un énorme potentiel qui nous lie à un comportement acquis et renforcé par l'euphorie qui peut s'en dégager.

Renforcement du plaisir

L'enfant grandit et évolue en réponse à son environnement. C'est pendant cette période d'interaction que l'apprentissage et la création des liens affectifs ont lieu. A travers ce processus permanent, sa biochimie le pousse à faire ce qui le rend heureux et à éviter ce qui le rend malheureux. Différentes sortes de comportements deviennent des habitudes et les habitudes en créent d'autres. Ces cycles peuvent renforcer un comportement sain, nous apportant bonheur et épanouissement.

Mais il n'est pas garanti que ce que nous aimons ressentir, penser et faire, soit nécessairement bon pour nous ou notre société. A partir de cette clarification supplémentaire concernant le renforcement des effets que provoque notre biochimie euphorisante, il est plus aisé de comprendre des déviations du comportement, tels que les actes criminels. Les criminels semblent être obligés, dans de nombreux cas, de commettre des crimes odieux. C'est comme si ce comportement impulsif provenait d'eux-mêmes, accoutumés qu'ils sont à ces déviations. Ainsi, les Endorphines et autres substances biochimiques similaires pourraient se déchaîner, renforçant les maladies affligeantes pour la société.

Nos sentiments, pensées et types de comportement impulsifs que nous « traînons » avec nous, sont de moindre impact sur la société, mais constituent assurément un problème pour chacun d'entre nous. Il se peut que nous nous sentions souvent enfermés dans des habitudes d'être et d'agir. Peut-être nous sentons nous obligés d'être excessivement organisés (ou inorganisés). Nous disons « il faut que cela soit comme cela » ou « je ne le fais jamais comme cela ». Ayant déjà appris ce qu'était le renforcement biochimique, nous pouvons dire que nous sommes accoutumés à ces obligations que nous créons nous-mêmes.

Le cycle tolérance/dépendance, toujours actif, se poursuit, ajoutant de nouvelles couches de pensées, sentiments et comportements. Ce processus souvent inconscient, se développant à partir des réactions au stress manifestées par le passé, accentue les devoirs et obligations qui deviennent rigides et ne correspondent plus au stress actuel ou à venir. A partir de cette tendance, on risque de développer une personnalité et un mode de vie rigides et peu propices à l'adaptation.

La vie continue, les changements suivent leur cours, exigeant que tout ce qui vit s'adapte et grandisse. Comme le Dr. Seyle l'a démontré, notre capacité d'adaptation biochimique est intrinsèquement conçue pour réagir au stress occasionné par le changement. Le stress positif peut-être défini comme une réaction euphorique au défi du changement. Le stress négatif n'est peut-être simplement que le même facteur stressant, perçu comme accablant, échappant à notre contrôle, ou menaçant la partie de nous-même qui s'est biochimiquement adaptée et renforcée pour résister inflexiblement au changement.

D'après ce schéma, stress négatif et stress positif se réduisent aux définitions ou jugements de valeur attribués au stress de la vie. Chacun de nous émet ces jugements chaque jour à plus ou moins grande échelle. Nos perceptions du stress façonnent considérablement notre qualité de vie. Par exemple, la plupart d'entre nous trouverions une chute de dix mètres comme un facteur de stress négatif considérable. Alors que pour le trapéziste, cela ne constitue qu'un simple moment de plaisir d'un stres positif euphorisant dans sa journée de travail. La différence réside dans le comportement acquis et le fait, correspondant à ce comportement, de croire en ses capacités, d'adopter une attitude constructive vis à vis de la vie elle-même.

Tandis que le processus de vie se poursuit, croyances et attitudes renforcent de façon positive ou négative ce que nous sommes et ce que nous faisons. Le stress négatif et le stress positif, tous deux phénomènes biochimiques, ne reproduisent en fait que la manière dont nous percevons ou adhérons à nos propres réactions face aux défis de la vie. Afin de nous aider à mieux distinguer ces deux sortes de stress, examinons le conflit générateur de stress négatif qui peut survenir au sein du cerveau.

Le cerveau instinctif

Nous pourrions évoquer plusieurs raisons externes qui expliqueraient pourquoi nous ressentons le stress comme facteur de détresse. Nous vivons une époque de stress. Nous percevons à différents niveaux un sentiment d'incertitude, de défi ou de fatalité. Nous nous sentons stressés par les conditions extérieures. Nous sommes d'autant plus conscients des causes de ce stress que la télévision relate en permanence les événements conflictuels internationaux ou locaux. Nous ressentons le stress à cause de situations conflictuelles au sein de notre famille ou de notre communauté. Plus personne ne semble vivre simplement. Notre environnement est complexe, parfois même chaotique, à la fois dans le monde en général et dans le cercle de nos relations les plus proches.

En dépit de ces facteurs stressants extérieurs, le plus grand défi dont chacun de nous ait conscience individuellement est ce sentiment de détresse que nous percevons au fond de nousmêmes. Les scientifiques commencent maintenant à comprendre comment le cerveau lui-même, peut être à l'origine de nos sensations de détresse. Le « tronc cérébral » qui maintient notre survie psychologique et affecte profondément notre instinct d'auto-conservation se trouve enfoui très profondément au sein du cerveau, et est situé au-dessous de la couche limbique émotionnelle médiane mentionnée au chapitre deux, avec laquelle il entre souvent en conflit.

Ce « tronc cérébral » préserve la vie de notre corps, réglant la respiration et les battements du coeur, assurant ainsi l'apport d'oxygène nécessaire au cerveau et au corps.

Le « tronc cérébral » est tellement essentiel à la vie qu'un choc ou une blessure à son pourtour réduit les chances de survie, il faut alors activer artificiellement le mécanisme de la respiration. Si la vie résiste à cette interruption de fonctionnement, c'est pour une existence comateuse, végétative. Ce type de coma provient d'un blocage de la communication dans le tronc cérébral, ainsi que du manque d'informations correspondant, vers les couches supérieures du cerveau, génératrices de la conscience.

Récemment encore, on considérait que cette couche la plus profonde du cerveau, ne renfermait aucune sorte de conscience. Elle était simplement connue de part sa fonction régulatrice comme maintien de la vie. Mais à présent, d'après le Dr. Paul MacLean, Directeur à l'Institut National de la Santé Mentale à Bethesda, Maryland, responsable du domaine de l'évolution du cerveau et du comportement, ce tronc cérébral est considéré comme étant le centre physique de toutes sortes de réactions et comportements inconscients.

Selon la théorie du Dr. MacLean, cette couche du cerveau la plus profonde est un résidu d'une forme de vie instinctive, toujours active au fond de nous. Le Dr. MacLean a appelé cette structure le « cerveau reptilien », dénommé ainsi de par sa fonction et son origine primitives.

Il existe maintenant des preuves selon lesquelles cette profonde couche du cerveau est responsable des divers comportements subconscients d'auto-conservation, d'hostilité ou de possession et de contrôle de territoire qui se déclenchent et nous surprennent par leur intensité.

Le Dr.MacLean dénombre plus de vingt catégories de comportements identifiables qui relient notre survie à celle de nos ancêtres. Ces comportements comprennent, entre autres, la délimitation d'un territoire, la recherche et le stockage du fourrage pour le bétail, l'expression de grognements hostiles ou amicaux et la formation de groupes. D'après la théorie du Dr. MacLean, lorsque nous réagissons à la vie en utilisant ces approches instinctives, notre tronc cérébral reptilien conditionné depuis une éternité se met à fonctionner selon un processus agressif et défensif, jadis nécessaire à la survie.

Nous continuons de ressentir les impératifs biochimiques de notre cerveau reptilien qui peuvent faire surface pour nous transmettre un sentiment de détresse, de conflit ou de défi. Nous cherchons à apaiser ce stress-détresse en plaçant notre concentration à l'extérieur de nous-mêmes, poussés à exercer pouvoir et contrôle externes sur notre environnement physique, le monde du travail, les finances, nos collaborateurs et même notre famille. Bien qu'un sentiment d'auto-valorisation soit nécessaire, ce sentiment primitif de pouvoir peut se transformer en obsession, en facteur d'accoutumance comme la « travaillomanie », générateur de stress et potentiellement destructeur.

Il se peut que, d'une façon encore plus subtile, nous nous sentions poussés à nous arroger un pouvoir territorial sur notre propre sentiment d'identité subconscient. C'est ainsi que nous nous sentons souvent traqués, percevant la nécessité de fuir quelque chose, d'une manière ou d'une autre, ou de s'y précipiter. Mais il s'agit d'une notion vague, difficile à expliquer ou à analyser. Cette « course-fuite » prend plusieurs formes, telles que l'obligation de se conformer à un régime très strict, de courir plus loin, de travailler plus vite ou d'imposer à notre mode de vie certains schémas.

Notre instinct de contrôle s'infiltre jusque dans notre sentiment d'identité; nous sommes stricts envers nous-mêmes, nous punissant, nous culpabilisant quand nous n'avons pas été à la hauteur du défi que nous nous étions fixé, en matière de biens matériels, de comportements, de pensées et d'émotions. Ou bien, nous pourrions ressentir une perte du contrôle sur l'un de ces éléments ou tous à la fois, craignant de ne jamais « nous montrer à la hauteur ». A nouveau, il s'agit de cette « hauteur » que nous nous sommes fixée de manière subconsciente afin de conserver le contrôle de nous-mêmes. Et, lorsque nous échouons, ou croyons échouer, notre sentiment d'échec ou de perte d'identité territoriale accentue notre sentiment de détresse.

Le stress-détresse est également présent quand nous ressentons un manque ou un échec émotionnel, mental ou même spirituel. Nous pensons : « je suis détestable, comment puis-je avoir des pensées aussi viles, des sentiments aussi haïssables ? », ou encore « une fois de plus je n'ai pas rempli le contrat ». Et le pire, c'est que nous en sommes persuadés. Nous sommes obligés de nous trouver dans cet état d'esprit affligeant lorsque notre physiologie réagit biochimiquement pour accentuer ces sentiments négatifs « d'échec ». A travers cette chaîne de perceptions négatives, un sentiment de stress incontrôlé commence.

Tandis que ce cycle vicieux se poursuit, les contraintes que nous nous imposons s'érigent pour faire naître en nous la volonté de fuir, de nous réfugier dans la peur, ou de nous emporter violemment. C'est à travers ce mécanisme automatique que nous ressentons ce sentiment de « fuite ou d'affrontement » au sein de notre corps. Par ce processus, physiologique bien que souvent inconscient, tous nos choix — en réalité notre vie entière — peuvent être orientés en fonction de ces perceptions d'échec devenues prioritaires, de la perte subconsciente de notre sentiment de contrôle sur nous-mêmes ou sur notre environnement.

le cerveau en conflit avec lui-même

Les observations du Dr. MacLean nous démontrent que le cerveau est en réalité composé de trois parties, chacune possédant ses propres priorités, sa propre biochimie correspondante. Chacune agit individuellement sur nos perceptions, nos impressions de stress positif ou négatif. Chacune affecte directement nos processus physiologiques par des réactions automatiques. La couche du cerveau située le plus à l'extérieur est appelée cortex, c'est elle qui nous différencie des animaux. Cette couche nous permet de penser, de planifier, d'analyser et d'obtenir, du

moins nous l'espérons, une vision rationnelle du monde. Grâce
au cortex nous avons conscience de notre environnement; nous en
envisageons les possibilités et en examinons les manifestations.

Mais ce sont les couches plus profondes du cerveau qui nous
permettent d'obtenir une conscience de nous-mêmes en relation
avec le monde. La couche limbique émotionnelle médiane constitue ce centre puissant dans lequel sont enregistrés les sensations, sentiments et impressions que produit le monde sur nous.
Comme nous l'avons déjà mentionné, de nombreuses et puissantes substances biochimiques cérébrales ont leur origine dans
cette région, accentuant nos sentiments et sensations soit d'une
manière euphorisante, soit en créant un sentiment de détresse,
de manque ou de désir torturant. Au sein de cette importante
région de notre biochimie émotionnelle, nous créons les liens
d'amour, évitons ou rejetons ceux de haine, mettant ainsi en
mouvement les réactions physiologiques correspondant à nos
priorités limbiques.

Cachées au plus profond de notre cerveau, les substances
biochimiques procèdent au traitement des états émotionnels qui
continuent à affluer au-delà de la perception corticale
consciente. Le pharmacologue chercheur en matière de stress et
de douleur, précédemment rencontré au Chapitre deux,
le Dr. Agu Pert nous rappelle que c'est au sein de cette région
limbique que sont perçus les composants émotionnels de détresse
et de douleur. Ces mêmes substances biochimiques de stress
négatif peuvent également faire surgir des processus morbides.

Il se peut que les priorités biochimiques du cerveau limbique
émotionnel échappent au cortex qui maintient notre conscience
quotidienne. Ainsi, des sensations et des sentiments peuvent
demeurer inconscients; ou bien, d'une certaine manière ne pas
sembler rationnels ou logiques pour le mode de pensée cortical.
Particulièrement si notre cerveau a été renforcé pour se satis-
faire des capacités de la pensée rationnelle, nous risquons d'être
dominés par notre intellect. Nos sentiments et sensations peuvent même nous sembler inquiétants ou, dans le meilleur des cas,
ennuyeux. Les sentiments et sensations répréhensibles que nous
avons appris à éviter, peuvent représenter une menace directe

pour le cortex pensant. Ainsi un « couvercle » cortical est placé au-dessus des processus limbiques afin de les tenir éloignés de nos pensées et de nos sensations. Mais le cerveau limbique émotionnel continue de fonctionner, recevant les impulsions sensorielles et renforçant une manière de ressentir les choses qui affecte toujours notre corps et notre santé, même si nous n'avons pas conscience de ce processus.

Comme nous l'avons décrit plus haut en détail, le tronc cérébral reptilien instinctif poursuit sa propre vie, en agissant encore plus profondément et souvent de manière menaçante sur les sentiments et les pensées. Les pulsions d'auto-conservation, de possession et de territoire gardent leurs propres priorités biochimiques subconscientes. Cette couche instinctive qui existe au sein de chacun d'entre nous, est responsable du contrôle de la « bête de somme » que constitue notre corps physique. Si cette auto-conservation de la bête est menacée, une réaction physiologique s'amorce à partir d'une perception de stress-détresse. D'après cette théorie, nous pouvons mieux comprendre pourquoi notre corps semble nous trahir. Le coeur bat quand nous percevons une menace, même s'il ne s'agit que d'une menace pour l'égo.

Symptômes et maladies dûs au conflit

Une tension peut apparaître au sein de ces sentiments de conflit et de leurs priorités biochimiques. Et, si cette tension persiste, pour prendre un aspect chronique, nos réactions physiologiques au stress-détresse finissent pas se retourner contre le corps lui-même. Nombre d'entre nous souffrons de tension musculaire quand nous sentons le stress sourdre ou nous envelopper. Nous savons que le stress déclenche les Endorphines qui ont pour but de nous aider à nous adapter aux défis de la vie. Mais le corps peut devenir une victime chronique qui paie cher cette perpétuelle adaptation au conflit. Souvenez-vous de la théorie sur le stress du Dr. Seyle, selon laquelle il y a, au fond de chacun de nous, un seuil de tolérance au stress négatif qui déclenche l'apparition de notre propre limite individuelle d'adaptation.

Puisque l'on a souvent établi un lien entre les Endorphines et un état de tranquillité et d'euphorie, les scientifiques ont rapidement considéré les maladies dues au stress et aux tensions comme le résultat d'un manque d'adaptation et probablement d'une baisse ou d'une stagnation du flux des Endorphines.

Dans cette perspective, les chercheurs Italiens ont concentré leur travail sur le phénomène bien connu de la migraine. Dans un article publié dans « Advances in Neurology » (Progrès en neurologie), le Dr. A. Agnoli et ses collaborateurs constatent que les maux de tête provoqués par l'arrêt de consommation d'héroïne s'apparentent à la migraine. Cet indice pourrait signifier que les maux de tête causés par la migraine correspondraient à une sorte de diminution des Endorphines. Bien que ces expériences corroborent d'autres études démontrant que le processus de la migraine est plus complexe, dépassant le simple fait d'une diminution d'Endorphines, Le Dr. Agnoli et ses collaborateurs réussirent à inverser la douleur produite par une migraine grâce à l'utilisation d'Enképhaline synthétique, (substance appartenant à la famille des Endorphines).

Dans un autre article du même type, une équipe de chercheurs de Milan et Florence travaillant sur les Endorphines, remarqua que des niveaux élevés d'Endorphines apparaissaient naturellement quand les crises de migraine s'achevaient et que les douleurs disparaissaient.

Les ulcères constituent un autre problème chronique attribué à une réaction de stress négatif et de tension face au stress. Nous avons déjà appris l'importance du lien qui existe entre les Endorphines et le système digestif. Des niveaux d'Endorphines élevés sont en corrélation avec une digestion lente, un métabolisme lent et l'obésité consécutive. Connaissant ces niveaux d'Endorphines élevés, nous pouvons considérer que des niveaux moindres pourraient être directement liés à des troubles gastriques provenant du stress, tels que les ulcères, la maladie de Crohn ou la rectocolite ulcéro-hémorragique. Les Docteurs R.F. Ambinder et Marvin Schuster expliquèrent dans un article pour le journal « Gastroenterology » (Gastroentérologie), qu'il existe vraisemblablement un lien entre la baisse d'Endorphines et la fragilité digestive.

Une fois de plus, à l'appui des symptômes digestifs dus au sevrage d'héroïne, ces médecins montrent que l'on rencontre couramment des symptômes semblables dans des syndromes de sensibilité intestinale. Les gastroentérologues entendent souvent leurs patients se plaindre de symptômes digestifs majeurs, pour ne découvrir finalement aucun processus morbide après examen. Ces symptômes gastriques et intestinaux sont définis comme fonctionnels plutôt que pathologiques. Les Docteurs Ambinder et Schuster indiquent que le déséquilibre d'Endorphines est probablement le support biochimique de troubles digestifs perturbateurs bien que fonctionnels.

A partir de ces premières indications, concernant une diminution des Endorphines et les troubles chroniques correspondant, il n'est pas surprenant de constater que l'on s'intéresse aussi au problème de l'arthrite. Lors d'un récent congrès de la Arthritis Foundation (Ligue Anti-Aarthritique), le Dr. Charles Denko décrivit le lien qui existe entre les niveaux d'Endorphines et un certain nombre d'états arthritiques. Dans un numéro de « Science News » de 1981, le Dr. Denko et ses collaborateurs rapportèrent que chez des patients souffrant d'arthrite rhumatismale, d'ostéoarthrite, de goutte et autres maladies rhumatismales, le niveau d'Endorphines était remarquablement bas, aussi bien dans le sang que dans le liquide articulaire. On établit une moyenne de ces niveaux d'Endorphines peu élevés que l'on compara à ceux de personnes en bonne santé. On découvrit des niveaux d'Endorphines particulièrement bas chez les personnes gravement atteintes par l'arthrite.

Le Dr. Denko explique que ses découvertes sur les Endorphines montrent que les niveaux élevés sont liés à l'optimisme et les niveaux moindres au pessimisme. D'autres chercheurs en matière d'arthrite ont remarqué qu'une image de soi-même positive augmente la probabilité d'une amélioration de l'état des patients souffrant d'arthrite. Une vue négative rend les progrès de la guérison plus difficiles chez ces mêmes patients. Le

Dr. Denko pense que l'étude des Endorphines est importante pour l'avenir du traitement de l'arthrite.

Une modification dans la perception

C'est par l'intermédiaire des puissantes priorités biochimiques qu'apparaissent en nous motivations, désirs, obligations, défis et conflits. Nous sommes ainsi conçus biologiquement. Nous recherchons et aspirons fébrilement à quelque plaisir ou jouet extérieurs. Nous sommes à la recherche de quelque chose ou quelqu'un en dehors de nous, d'un bonheur externe. Nos cinq sens sont conçus pour qu'il en soit ainsi.

Vous vous souvenez qu'au Chapitre un, nous avons vu que nos cinq sens envoient des informations qui sont de véritables stimuli électriques, fonctionnant comme un signal de communication nous renseignant sur le monde environnant et ses contraintes. C'est par ce processus biochimique électrique que nous sommes en relation avec notre monde. Il en va ainsi durant toute une vie. L'environnement du cerveau, la biochimie cérébrale en général, et les Endorphines en particulier, renforcent et modèlent même nos impressions extérieures. Par ce processus permanent, nous choisissons en quelque sorte ce que nous aimons, ce que nous aimons faire, les objets ou personnes avec lesquels nous créons des liens. Nos perceptions nous incitent trompeusement à penser ou à ressentir que c'est la source ou l'objet de notre amour provenant de l'extérieur qui nous rend heureux. Mais il s'agit en réalité d'un plaisir renforcé biochimiquement de l'intérieur qui nous donne cette sensation d'accomplissement, de plénitude lorsque nous avons obtenu ce à quoi nous aspirions.

N'avez-vous jamais eu le sentiment de perdre votre entrain, votre enthousiasme dans une relation, une situation ou pour une possession que vous chérissiez auparavant ? Là où vous vous sentiez jadis vibrer, plein d'allégresse, où vous ressentiez les liens affectifs et l'exaltation, désormais vous éprouvez un manque, une perte de vitalité. C'est comme si l'essence de cet amour extérieur s'était évaporée. Mais que représente vraiment cette perte ? Une vague sensation de désir, satisfaite à l'époque par l'une de ces choses qui vous tiennent à coeur ou toutes à la fois, signale une réaction biochimique d'adaptation. A présent ce même désir surgit une fois de plus, appelant un nouveau bonheur.

De cette façon, nous pouvons observer que chacun de nous subit ce cycle tolérance/dépendance, tout autant que le toxicomane. Mais le changement de sensation que nous constatons reflète un changement en nous et non pas dans notre environnement extérieur, même si cela semble ainsi. Ce changement de sensation correspond à un déplacement dans la biochimie cérébrale, provenant peut-être d'un processus cérébral limbique ou reptilien profond.

Nous ne ressentons plus d'euphorie biochimique en réaction à ce stimulus, là où il semble y avoir eu du bonheur. Ayant développé une tolérance face à ce stimulus antérieur, nous avons changé, et par ce changement nous aspirons à de nouveaux territoires, une nouvelle identité et un nouveau sens à la vie. Si nous n'obéissons pas à ce nouvel élan, il se peut qu'alors une vague sensation de sclérose apparaisse, qui nous enchaîne à nouveau, sous l'action d'un renforcement biochimique interne, à un manque de stimulation, et nous nous enlisons dans un mode de vie qui devient alors routinier et sans issue.

Parfois nous nous attachons à quelque chose ou quelqu'un , en nous immergeant biochimiquement dans notre sensation d'amour. Une fois de plus, notre biochimie euphorisante accentue notre joie. Nous croyons à nouveau, par une erreur de perception, que cette joie est extérieure. Nous oublions que le bonheur vient de l'intérieur. Nous aimons notre famille, nos amis, notre carrière, l'environnement dans lequel nous nous trouvons. Nous connaissons une immense joie qui se répercute dans l'amour. Et miraculeusement, nous découvrons également la santé et une qualité de vie précieuse.

Mais alors, comme toujours, les saisons changent. La vie suit son cours. Tout à coup, le changement survient. Nous perdons un être cher; nous sommes obligés de partir à la retraite ou de déménager. Un incendie détruit notre foyer tant aimé. Un voleur dans la nuit dérobe nos précieux bijoux. Une tempête boursière

anéantit nos investissements. La stimulation qu'on supposait
provenir de l'extérieur s'évanouit.

A ce stade, un état biochimique de stress-détresse peut apparaître, croissant proportionnellement à chaque réaction psychologique négative au stress. Ces facteurs de stress peuvent s'écha-
fauder et s'accumuler jusqu'à un stade que le Dr. Seyle identifie
comme étant notre limite d'adaptation. Quand nous nous appro-
chons de ce stade, même à travers des conflits émotionnels ou
instinctifs subconscients, nos réactions physiques s'affaiblissent
et diminuent. Lentement nous perdons notre force d'adaptation.
Ainsi, nous risquons également d'épuiser notre resistance immunitaire, notre capacité à maintenir la santé en nous défendant
contre la maladie.

Le lien immunitaire

Au cours des premières recherches en matière d'Endorphines,
on découvrit que nos réactions au stress, notre puissance immunitaire et le flux des Endorphines étaient tous trois intimement liés. Afin d'apprendre de quelle manière les Endorphines
sont reliées au système immunitaire, rappelons brièvement notre
métaphore du Chapitre Un. Nos processus biochimiques sont
semblables au flux permanent d'une rivière d'événements microscopiques.

Une fois de plus, imaginez-vous le flux d'hormones s'écoulant
comme une cascade d'eau. Sa source provient de l'hypothalamus,
glande hormonale majeure du corps. Ce courant hormonal irri-
gue la glande pituitaire, stimulant la production de nombreux
hormones qui ensuite traversent le reste du corps par l'intermédiaire du système circulatoire. Obéissant à ce processus
incessant, les hormones ou messagers biochimiques, circulent,
affectant notre santé. Les messages hormonaux immunitaires
constituent une des informations permanentes les plus importantes à travers le corps.

Un chercheur en matière d'hormones identifia par hasard le
lien Endorphines/immunité, tandis qu'il découvrait simultanément un type d'Endorphine spécifique devenu célèbre depuis. A

l'Université de Californie, San Francisco, le Dr. Choh Hao Li découvrit l'Endorphine appelée Endorphine-Béta. Il s'agit d'un segment court mais très influent d'une chaîne hormonale plus longue provenant de la glande pituitaire.

La découverte de l'Endorphine-Béta par le Dr. Li était plutôt fascinante. Mais, grâce à cette découverte, le Dr. Li gagna le gros lot de la recherche. Là, au sein de cette plus longue chaîne d'hormones, on découvrit une hormone voisine de l'Endorphine-Béta, appelée hormone adrenocorticotrope, ou en abrégé ACTH. L'ACTH constitue une chaîne hormonale de petite taille mais d'influence capitale, composée de clés chimiques. Elle contribue considérablement au maintien de notre santé en débloquant des signaux immunitaires permanents à travers tout le corps.

Immédiatement, les chercheurs commencèrent à étudier cette étonnante piste concernant la régulation de notre santé. L'ACTH est une hormone immunitaire qui est déclenchée par le stress. A présent les chercheurs savent que le stress déclenche également l'émission de l'Endorphine-Béta. De nombreuses études portant sur les liens qui existent entre les Endorphines, le système immunitaire et le stress ont été réalisées depuis cette première découverte. Puisque le stress provoque l'émission combinée de l'Endorphine-Béta avec l'ACTH, nous pouvons comprendre que la pratique intensive d'un sport nous maintient en bonne santé, en renforçant notre système immunitaire. Ceci pourrait également expliquer qu'en cessant une activité sportive, nous augmentons les risques de nous enrhumer ou de prendre la grippe.

Dans une théorie appelée « surveillance immunitaire », on attribue au système immunitaire la faculté de combattre des infections bien plus importantes que de simples grippes ou rhumes. Cette théorie affirme, par exemple, que le système immunitaire dispose normalement de la force nécessaire pour combattre le cancer avant que celui-ci ne se déclare. Il existe en nous des cellules potentiellement cancéreuses. Par la surveillance immunitaire, une défense immunitaire robuste contrôle ces menaces malignes bien que minuscules. Ainsi, l'évolution maligne ayant échappé au contrôle et qui se transforme en processus cancéreux, est due à une défaillance du système immunitaire qui ne parvient pas à se défendre contre l'attaque maligne.

Dans un livre sur le système immunitaire *The Body is The Hero* (Le corps, ce héros), Le Dr. Ronald J. Glasser décrit cette théorie de la surveillance immunitaire. Pour étayer sa théorie, le Dr. Glasser cite deux groupes d'âge spécifiques bien connus pour accuser des déficiences immunitaires. Souvent, à un âge avancé, le corps, et tout particulièrement le système immunitaire s'affaiblissent, favorisant ainsi la maladie. Il en va de même chez les jeunes enfants, immatures et dont le corps n'est pas encore entièrement développé. Les personnes très vieilles ou très jeunes sont souvent incapables de maintenir la force d'une surveillance immunitaire, présentant alors un terrain propice au développement du cancer et autres affections dues à une défaillance immunitaire.

On trouve d'autres preuves de cette surveillance immunitaire chez les patients qui, ayant subi une transplantation d'organes, absorbent des médicaments immunodépresseurs afin d'éviter un rejet de l'organe transplanté; mais ils ont statistiquement plus de risque de voir se développer également un cancer. De la même manière, on a pu constaté que, lorsqu'une thérapie à base d'immunodépresseurs était interrompue, une maladie maligne à évolution rapide se trouvait alors stoppée et le patient pouvait provisoirement se rétablir.

Il existe des cas établis de patients atteints de cancer qui ont guéri alors qu'ils souffraient en même temps d'autres infections graves. Dans ces cas, on peut supposer qu'un processus infectieux puissant pourrait fournir le stimulus dont un système immunitaire a priori inactif aurait besoin pour combattre une maladie sous-jacente maligné et insidieuse. Cette sorte de preuve nous incite à supposer que les vaccins, qui renforcent notre immunité, peuvent s'avérer être de véritables traitements du cancer, mais dans ce domaine, il faut poursuivre les recherches.

Les liens émotions/santé

Mais est-il possible qu'il existe une cause émotionnelle à une défaillance immunitaire telle, que quelques cellules cancéreuses puissent se développer au point de provoquer un état de maladie avancé ? C'est la question que s'est posé le Dr. R.W. Banthrop, chercheur en immunologie à New South Wales en Australie. Son analyse saisissante fut présentée en détail dans une parution du journal médical Britannique « Lancet » en 1977.

En 1976, un pont s'écroula en Australie. Cet événement fut particulièrement dramatique car, au moment où le pont s'effondra, un train passait. De nombreux passagers furent tués. Le Dr. Banthrop, qui s'était déjà interrogé sur les liens existant entre l'esprit, les émotions et la biochimie, utilisa cette tragédie comme support à l'étude de ses idées. Il se rendit sur le lieu de l'accident et demanda l'autorisation de prélever des échantillons sanguins parmi les survivants dont les conjoints avaient été tués. Ceux qui autorisèrent l'étude de leur sang furent ensuite suivis pendant plus de six semaines. On compara les échantillons sanguins des veufs et des veuves, âgés de vingt-cinq à soixante-cinq ans avec ceux d'un groupe « test » d'employés de l'hôpital qui n'avaient pas vécu ces événements.

Le Dr. Banthrop et ses collaborateurs constatèrent que le résultat de cette comparaison faisait apparaître chez les sujets endeuillés, une baisse significative dans la numération lymphocytaire. La lymphocyte est un globule blanc spécifique parmi les composants sanguins, connu pour constituer une barrière immunitaire importante. Un événement catastrophique, particulièrement éprouvant pour ceux ou celles qui venaient de perdre leur conjoint, avait logiquement amorcé une diminution de la puissance immunitaire qui sauvegarde la santé biochimique.

Les Endorphines sont reliées à notre sentiment subjectif de perte et de deuil. (L'euphorie que provoquent les Endorphines est associée aux facteurs amour, sollicitude, liens affectifs). Il est clair qu'une catastrophe démesurée, comme celle qu'étudia le Dr. Banthrop devait avoir quelque influence sur les taux d'Endorphines ainsi que sur la résistance immunitaire.

Lorsque nous perdons quelque chose ou quelqu'un que nous aimons, nous nous sentons pendant quelque temps émotionnellement dépressifs. Il serait tentant de penser que cette dépression émotionnelle puisse être en liaison directe avec une perte d'Endorphines. Somme toute, quand quelqu'un est affligé, tout sentiment de bonheur et de joie semble bien loin du présent. Cette perte aux effets dépressifs représente une baisse d'euphorie, ou des niveaux d'Endorphines peu élevés.

Cependant, d'après ce que nous avons déjà appris, les niveaux d'Endorphines peuvent augmenter en réaction au stress. En effet, il se peut qu'une marée montante d'Endorphines soit bien la réaction initiale face à une catastrophe accablante tel que l'accident du train étudié par le Dr. Banthrop. (Si vous avez vécu une perte majeure dans votre vie, vous vous souviendrez peut-être de votre réaction initiale, sentiment d'hébétude, choc ou sensation d'irréalité. Cela pourrait être dû, en partie, à des niveaux d'Endorphines initialement très élevés.)

Mais que se passe-t-il ensuite ? Chacun de nous réagit à sa façon, que ce soit face aux pertes infligées par la vie ou face au stress. Cette variation de réactions est la clé de notre question.

Deux immunologues ont étudié cette question en détail. Le Dr. Steven F. Maier, à l'Université de Colorado, à Boulder, et le Dr. Mark Laudenslager, à l'Université de Denver, ont écrit un article appelé « Stress and Health : Exploring the Links » (La relation stress-santé) pour un numéro récent de « Psychology Today ».

Les Dr. Maier et Laudenslager expliquent qu'on ne peut réduire le stress, et plus spécialement le stress-détresse, à un simple événement négatif, même s'il s'agit de la perte d'un être cher. Comme nous avons déjà commencé à le découvrir, nos réactions face aux événements négatifs deviennent des facteurs critiques dans nos interactions avec les défis de la vie. Il est fort probable que cette réaction, ou la façon dont le stress est perçu, constitue une influence clé sur notre force biochimique contre la maladie.

On a reconnu qu'une sensation de contrôle sur les facteurs stressants est une réaction potentiellement saine. A la Faculté de Médecine de Duke, le Dr. Jay M. Weiss, chercheur en psychologie, étudia des animaux en situation de stress. Lorsque l'on donne aux animaux la possibilité de contrôler les stimuli désagréables, ils ne développent pas les symptômes physiologiques relatifs au stress, tels que les ulcères ou les insomnies.

Le Dr. Kenneth Pelletier, chercheur en physiologie à l'Université de Californie, San Francisco, a décrit récemment une découverte similaire. Pendant le conditionnement des astronautes aux facteurs stressants de l'espace, la NASA a développé une étude comparée. On avertit certains astronautes qu'ils n'auraient aucun contrôle sur les événements simulés, qu'ils devraient simplement apprendre à réagir face à ces facteurs de stress du mieux qu'ils pourraient. On donna à d'autres un levier qu'ils pourraient actionner quand la même simulation leur deviendrait trop pénible.

Comme on pouvait s'y attendre, le groupe qui pouvait se saisir du levier-contrôle pendant la simulation demeura beaucoup plus détendu durant ces essais. Cependant, ce levier ne fut jamais réellement connecté aux mécanismes affectant les simulations en cours. La confiance en ce levier était le facteur clé dans leurs réactions détendues face au stress.

On détermina un syndrome appelé « impuissance acquise » comme étant la réaction inverse à une sensation de stress non contrôlé. Le Dr. Maier et son collaborateur de L'Université de Pennsylvanie, le Dr. Martin Seligman, ont étudié ce syndrome. Quand les animaux sont au départ conditionnés à n'avoir aucun contrôle sur le stress, ils sont, par la suite, dans l'incapacité de percevoir une issue au stress, même quand celle-ci existe. Ils demeurent passifs, démunis, incapables d'acquérir un comportement évitant le stress.

De plus, on a rassemblé des données concernant la force immunitaire d'animaux qui avaient appris à être impuissants. Lors d'une étude, les animaux se trouvaient dans l'incapacité de rejeter une tumeur implantée (signe prédéterminé de faiblesse immunitaire) quand ils avaient été auparavant exposés à des facteurs stressants non contrôlés. Cette découverte pourrait corroborer l'étude du Dr. Banthrop sur l'accident de train en ce qui concerne la baisse de numération lymphocytaire durant une période d'affliction quand une personne endeuillée n'a aucun contrôle sur son malheur.

Le Dr. Maier a également étudié les relations entre les Endorphines et cette impuissance acquise. Les animaux qui ont été exposés à un stress non contrôlé manifestent une sensibilité réduite face à la douleur. L'utilisation de médicaments antidotes des Endorphines, inversèrent plus tard ce processus, en augmentant la douleur. Il est intéressant de noter que des niveaux d'Endorphines accrus ont été impliqués dans le syndrome de l'impuissance acquise.

Des études similaires ont utilisé des antidotes d'Endorphines pour empêcher aux facteurs stressants non contrôlés de supprimer les réactions immunitaires. La réaction immunitaire réduite dans le cas de stress non contrôlé a également été bloquée par les antidotes d'Endorphines. De plus, on sait maintenant que les lymphocytes possèdent des serrures biochimiques appropriées aux Endorphines, preuve supplémentaire que ces cellules sont impliquées dans la communication entre Endorphines et système immunitaire.

Cette découverte concernant les lymphocytes, globules blancs spécifiques, nous ramène aux données que le Dr. Banthrop avait émises à la suite de l'accident de train. Vous vous souvenez que les globules blancs diminuent chez les individus affligés. Si les niveaux d'Endorphines ont effectivement augmenté en réaction au stress provoqué par l'accident de train, ainsi que nous pouvons le supposer, cette augmentation a pu déclencher l'envoi d'un message en direction des globules blancs, immergeant leurs sites récepteurs d'informations qui, en définitive, auraient provoqué leur diminution.

Il semble donc que l'on puisse encore découvrir le secret qui permet de maintenir la santé pendant des périodes stressantes dans la diversité des réactions face à ces facteurs stressants. A la Faculté de Médecine de l'Université de Harvard, le Dr. Steven

Lock et ses collègues ont réalisé une étude sur des sujets en bonne santé et leurs réactions face au stress. On leur donna un questionnaire sur lequel ils devaient indiquer à la fois les derniers événements stressants qu'ils avaient subis et toute réaction émotionnelle correspondante. En outre, on leur préleva des échantillons sanguins afin de tester leur résistance immunitaire.

Ainsi qu'on le constata dans ces prélèvements, la résistance immunitaire ne se trouvait pas nécessairement en corrélation avec la fréquence des facteurs stressants importants de leur vie. Le facteur clé était leur réaction émotionnelle.

Ceux qui signalèrent des états dépressifs, d'anxiété ainsi que de nombreux facteurs de stress, présentaient également une résistance immunitaire affaiblie. Ceux qui ne signalèrent aucune anxiété ni dépression, tout en indiquant une vie stressante intense, révélaient un degré élevé de résistance immunitaire.

Cette découverte devint d'autant plus significative lorsque l'on établit une comparaison avec ceux qui rapportèrent qu'ils n'étaient ni stressés, ni anxieux, ni déprimés. C'est chez les personnes qui réagissaient émotionnellement de façon positive face à un stress globalement important, que l'on constata une résistance immunitaire maximale.

Manifestement, notre équilibre biochimique et notre résistance immunitaire sont intimement liés à nos réactions émotionnelles profondes face à la vie. Notre biochimie est influencée par notre perception du stress et des défis de la vie. Lorsque nous nous sentons bloqués dans une réaction négative au stress, ou incapables de résoudre nos problèmes, comment pouvons-nous alors influer sur notre biochimie pour bénéficier d'un flux plus positif ?

Visualisation et Endorphines

Dans leur livre *Getting Well Again* (Comment retrouver la santé), deux chercheurs travaillant sur la visualisation, les Dr. Carl O. Simonton et Stephanie Matthews-Simonton, examinent le point qui nous intéresse. Ces chercheurs nous fournissent un exemple qui illustre de quelle manière notre cerveau fonctionne pour nous délivrer des états de stress négatif qui conduisent à la maladie.

L'imagination est le produit de processus cérébraux biochimiques. L'évocation d'un événement passé ou d'un projet futur (qui constituent deux utilisations courantes de la faculté imaginative du cerveau) représentent de véritables événements biochimiques aux effets physiologiques réels.

Les Simonton emploient ce concept d'imagerie mentale dans leur traitement destiné à des malades atteints de cancer. Ils enseignent des techniques de visualisation et de méditation dans le but de reprogrammer les processus biochimiques émotionnels de leurs patients. Par le biais de la représentation mentale, symbolique et littérale, de cellules immunitaires renforcées, ils encouragent leurs patients à imaginer leur résistance immunitaire reconstruite pour lutter à nouveau efficacement contre la maladie. Ils incitent ardemment leurs patients à inverser leur état émotionnel de désespoir ou de malheur inconscient à l'aide d'une représentation mentale nouvelle qui consolide le sentiment de bonheur et réduit l'insatisfaction biochimique.

Le Dr. Neil Fiore, psychologue qui fit part de ses découvertes lors d'une conférence à l'Université de Californie, San Francisco, suggère un exercice qui incorpore cette utilisation de la visualisation. Afin de clarifier notre compréhension de ce processus, nous pouvons effectuer l'exercice du Dr. Fiore suivant.

Imaginez maintenant un citronnier chargé de citrons bien mûrs. Approchez vous de l'arbre et cherchez le fruit le plus beau que vous puissiez attraper. Détachez un fruit, écoutez le bruissement des feuilles. Sentez le poids du citron dans votre main. Remarquez la surface inégale de l'écorce d'un jaune éclatant. A présent, déchirez un peu la peau, respirez en l'odeur piquante, ce fruit juteux n'attend qu'à être croqué.

Bien sûr, l'arbre et le fruit ne sont que des sensations imaginaires. Néanmoins, ce processus mental active tout une foule de réactions biochimiques cérébrales qui prépare votre palais au goût du citron. Cette fontaine biochimique provoque une grimace et une réaction salivaire à l'idée de cette acidité, que celle-ci soit imaginaire ou non. De plus, c'est votre propre goût ou dégoût pour le citron, précédemment acquis, qui détermine votre réaction à ce citron imaginaire.

Etiez-vous vraiment en train de cueillir un vrai citron, sur un vrai citronnier, ou bien n'était-ce qu'une stupéfiante sensation de votre imagination ? C'était bien sûr le fruit de votre imagination. Votre esprit conscient le sait, mais, votre réaction biochimique cérébrale ne fait pas la différence, et « le goût acide » du citron imaginaire dessine un rictus sur votre bouche. La biochimie cérébrale n'a pas distingué entre une conscience sensorielle d'un événement présent et un souvenir sensoriel d'une sensation passée. Votre cerveau vous a simplement transmis la réaction biochimique dont vous aviez besoin pour percevoir le goût du citron. Votre imagination a déclenché un message biochimique envoyant des informations à vos glandes salivaires et à votre langue.

Dans une étude qui reprend le thème de notre citron imaginaire, on découvrit que l'imagination influence les processus digestifs. Le fait d'imaginer un steak produit les mêmes effets en augmentant la sécrétion d'insuline, qu'un steak véritablement consommé.

Nous pouvons observer, à partir de notre propre découverte concernant la théorie des Endorphines, de quelle manière une visualisation thérapeutique peut avoir un impact profond sur notre corps. Nous savons qu'il est probable que des émotions positives soient en corrélation avec la résistance immunitaire. Nous savons également que ce phénomène imaginatif constitue une activité mentale biochimique affectant la régulation de notre corps par le cerveau.

Parfois, cependant, spécialement lorsque nous sommes malades, il nous est difficile de comprendre comment nos processus mentaux, nos concepts ou nos visions peuvent influencer notre corps, cet exercice intellectuel paraissant si éloigné de notre sensation physique de détresse, de maladie ou de douleur.

Mais comme nous l'avons déjà découvert, notre psychologie complexe ne se limite pas à la pensée corticale. La somme des influences psychologiques qui déterminent en définitive la santé ou la maladie, représente l'ensemble de toutes les priorités cérébrales réunies. Notre psychisme est composé de ce bain bio-électrique de substances chimiques émanant des trois couches du cerveau : le cortex, la couche limbique et la couche reptilienne. Bien que la stimulation mentale de l'activité corticale puisse facilement déclencher en nous une sensation de stress euphorisant, notre sensation de stress-détresse et de douleur provient souvent de couches plus profondes, cachées, d'aspects plus subtils au sein de notre nature psychologique. Les processus de la maladie, qui sont reliés à la régulation physiologique de notre corps par le cerveau, sont également en liaison avec le centre plaisir-douleur du cerveau émotionnel/limbique ainsi qu'avec la sensation de stress-détresse du tronc cérébral instinctif.

Il y a quelques instants, notre souvenir de la sensation d'un citron nous a aidés à visualiser une scène imaginaire qui a provoqué des réactions physiologiques rapides et efficaces. Si le simple souvenir d'un citron peut provoquer cela, quelle répercussion provoquera donc un souvenir émotionnel puissant ? De quelle manière, nos souvenirs inconscients de conflit, de stress négatif et de douleur peuvent-ils influer sur les mécanismes physiologiquse du corps ?

Le placébo : une clé pour les Endorphines

Afin d'approfondir ces questions, poursuivons une autre piste concernant les Endorphines, qui nous permette de mieux comprendre le lien qui existe entre l'imaginaire et nos réactions physiques, telle que la douleur. Ce phénomène est connu sous le nom d'effet placébo. Parfois, docteurs et infirmières rencontrent des difficultés à soulager les douleurs d'un patient. On essaie alors différents analgésiques, employant des narcotiques puissants, mais les douleurs persistent. C'est dans de tels cas que l'on prescrit souvent un placébo. Quand l'effet placébo fonctionne, un comprimé de sucre ou une injection saline apparemment inutiles soulagent alors spectaculairement la douleur.

L'effet placébo déconcerte ceux qui l'ont vu agir efficacement. Pendant plusieurs années, cet effet a été attribué à une bizarrerie psychologique dans le cerveau du patient. On en a conclu que si un comprimé de sucre pouvait soulager la douleur, celle-ci devait être uniquement psychologique. D'après ce raisonnement, cela pourrait donc expliquer pourquoi des analgésiques traditionnels, telles que l'aspirine ou la morphine ne soulagent pas ces types de douleur.

Ainsi, de nombreux docteurs et infirmières distinguent nettement entre une douleur réelle ayant une étiologie évidente et une douleur « imaginaire » dont on a trouvé aucune cause. L'opinion fausse que l'on a entretenue sur la douleur imaginaire est particulièrement mise en évidence lorsqu'un placébo ou comprimé de sucre soulage efficacement la douleur; comme si l'effet analgésique du placébo que l'on suppose inexistant constituait une preuve supplémentaire selon laquelle la douleur n'est qu'imaginaire.

D'autres observateurs médicaux ont noté qu'un patient croyant dans l'efficacité d'une méthode thérapeutique donnée, influence le processus du placébo. Une fois de plus, cette confiance constitue une composante émotionnelle importante qui provoque en effet une réaction biochimique interne et soulage la douleur; on écarte souvent ce phénomène en le considérant comme purement psychologique.

Mais la découverte d'Endorphines propres au corps est en train de modifier ce point de vue. A San Francisco, à l'Université de Californie, le Dr. Jon Levine et ses collègues ont publié des rapports basés sur une série d'expériences qui portaient sur les mécanismes des Endorphines et l'effet placébo. Afin de réaliser ces expériences, le Dr. Levine choisit des patients qui subissaient tous des traitements dentaires douloureux. On divisa ces personnes en deux groupes : on administra au premier groupe seulement, des placébos qui soulagèrent leurs douleurs.

Comme dans de nombreuses études sur les Endorphines, on utilisa tout au long de ces expériences la naloxone, l'antidote de l'opium. Pendant cette étude, un placébo soulagea considérablement les douleurs, et la naloxone en inversa régulièrement les effets. En fait, avec la naloxone, la douleur réapparut, semblable à celle qu'éprouvaient les personnes qui n'avaient pas eu de placébo.

Lors d'un autre test, on administra de la naloxone avant la piqûre du placébo. Dans ce cas-là, la naloxone réduisit considérablement la capacité analgésique du placébo. Ces deux découvertes indiquent que les Endorphines, que l'on sait être intrinsèquement aussi puissantes que la morphine, furent considérées comme les substances biochimiques internes soulageant la douleur étudiée. La naloxone inverse l'effet du placébo et en affaiblit l'action. Comme dans de nombreuses études réalisées antérieurement, la naloxone souligne indirectement l'existence des Endorphines et leurs capacités à soulager la douleur. Ces découvertes constituent une preuve supplémentaire, si besoin est, que les placébos fournissent souvent des résultats réels et réguliers.

Lors de nos propres explorations, nous nous sommes déjà interrogés au sujet des douleurs et sentiments de détresse qui ne sont « que dans la tête ». Et nous pouvons continuer à rapprocher la recherche en matière d'Endorphines d'une compréhension qui allie action biochimique et perception psychologique. Dans un numéro du « American Journal of Nursing » paru en 1981, Samuel Perry, professeur de psychiatrie et George Heidrich, chercheur en soins infirmiers, nous fournissent de bien meilleurs indices de l'effet placébo grâce à un compte rendu approfondi.

Dans cet article, les auteurs citent de nombreuses données qui discréditent les conceptions erronées concernant le placébo. Ils accordent aux placébos une capacité ne se limitant pas au soulagement d'une douleur hypothétique. On sait que les placébos affectent de façon significative des mécanismes physiologiques ce qui se traduit par des modifications dans les battements du cœur, la tension artérielle, la respiration, la composition sanguine et la numération chimique, les troubles digestifs et les réactions immunitaires. Cela vous semble familier ? Les placébos soulagent la douleur, ils affectent tous les systèmes à travers le corps entier. Les preuves qu'il existe un mécanisme placébo/ Endorphines s'accumulent.

Si l'action du placébo constitue en fait un indice selon lequel les mécanismes d'Endorphines fonctionnent à travers le corps, d'autres questions surgissent rapidement. Comment cela se fait-il que l'effet placébo soit déclenché en premier lieu ? Qu'est-ce qui provoque les processus des Endorphines dans une situation où l'on utilise un placébo ?

Les observations ont rapproché de façon cohérente ce phénomène de la confiance accordée aux fonctionnements des placébos et de l'attitude qui en découle. Et, si une telle croyance peut soulager la douleur, alors un souvenir émotionnel ou instinctif de stress-détresse peut entraîner la souffrance par le biais de processus biochimiques dans lesquels les Endorphines peuvent être impliquées. Il est certain que les préjugés concernant les placébos et la souffrance peuvent être considérés comme étant simplement des suppositions sans fondement valable concernant le processus de croyance et ses implications sur notre physiologie.

A l'appui des données concernant les placébos, les preuves augmentent et on ne peut donc plus limiter l'action du placébo aux quelques patients souffrant de troubles émotionnels et de douleur imaginaire. Les placébos fournissent des résultats positifs et variés au sein d'un large échantillon de groupes d'âges, de sexes, de situations cliniques, de profils psychologiques différents.

Afin de mieux comprendre l'effet placébo et sa corrélation biochimique aux Endorphines, nous pouvons de plus en déduire que le pouvoir potentiel de notre confiance, de notre attitude et de notre perception affectent la qualité de notre santé.

Pouvons-nous déclencher les Endorphines ?

Ces recherches nous amènent à considérer que les Endorphines influencent biochimiquement notre corps, notre esprit, nos émotions et par là même nos attitudes, nos perceptions et même nos croyances.

Maintenant que nous savons tout cela, il nous est facile de nous demander si nous pouvons déclencher nos Endorphines afin d'améliorer notre vie et notre sensation de bien-être. Ne serait-ce point merveilleux de pouvoir le faire, oui vraiment merveilleux de pouvoir déclencher consciemment nos réactions permanentes d'Endorphines ?

Le plaisir que nous procurent les Endorphines active notre désir d'explorer les possibilités de la vie. Selon un processus perpétuel, les Endorphines nous apportent les motivations bio-chimiques (y compris mentales et émotionnelles) dont nous avons besoin pour percevoir, réfléchir et nous adapter par des réactions souples aux changements de notre environnement. Les Endorphines s'écoulent naturellement en nous, pour notre plus grand bien. Peut-être alors, devrions-nous reformuler notre question. Qu'est-ce qui arrête ou limite notre flux naturel d'Endorphines ?

Les Endorphines sont les agents bio-électriques qui transmettent l'énergie, le flux de stimulus qui provient du cerveau et s'y dirige. Quand nous nous adaptons aux stimuli de la vie, même quand cette adaptation revêt la forme d'une sensation rigide de structure ou de croyance, nous limitons notre capacité naturelle à nous laisser emporter par le flux de nouveaux stimuli. (Ce qui est un comble puisque dans un premier temps ce sont les Endorphines, elles-mêmes, qui nous ont permis de nous adapter.) Mais à présent, nous nous sommes si bien adaptés, que nous ressentons le désir impérieux de rencontrer le nouveau stimulus qui nous redonnera une nouvelle sensation de vie.

Lorsqu'un individu cesse de se remettre en question et commence à croire qu'il a déjà tout vécu, que la vie ne peut plus le surprendre, alors le corps adhère à cette croyance. Le flux et l'équilibre des Endorphines deviennent de plus en plus limités. L'étincelle des sysnapses bioélectriques perpétuelles s'éteint progressivement. Mais nous, nous continuons à poser des questions, à vouloir savoir de quelle manière nous pouvons persister à éprouver bonheur et bien-être.

Applications pratiques

Tandis que vous vous sentez dépendants du stress positif euphorisant, notez la différence entre stress positif et stress négatif dans votre vie. L'usure observée dans beaucoup d'activités stressantes, est en partie due à la difficulté de délimiter précisément la frontière qui existe entre stress positif et stress négatif. Lorsque vous ressentez cette sorte d'épuisement, concentrez vous sur un stimulus contraire, parasympathique, sur un mode de repos. Souriez, riez, écoutez de la musique, trouvez des moyens d'encourager la relaxation.

Si vous êtes stressé à l'extrême, si vous éprouvez en permanence une sensation de stress négatif, ou si vous savez que vous êtes en train de pousser le fonctionnement sympathique jusqu'à souffrir de « travaillomanie », diversifiez donc vos activités. S'il vous faut à tout prix rester actifs pendant que vous vous relaxez, essayez donc le jardinage ou une autre activité de plein air n'impliquant aucune compétition. Pour vous détendre, pratiquez le yoga ou des techniques de méditation similaires qui facilitent la réunification paisible de l'esprit et du corps.

Les exercices de respiration sont depuis longtemps une technique de relaxation qui permet une élévation de la conscience. Il existe dans les poumons tout entiers des serrures biochimiques appropriées aux Endorphines. Pendant que vous êtes tranquillement assis, concentrez votre attention sur votre respiration, en prenant conscience d'inspirer, puis d'expirer, profondément et lentement. Ceci est particulièrement utile pour faciliter le sommeil.

Si vous êtes accablé d'un sentiment de culpabilité à propos du passé, ou si vous êtes inquiet quant à l'avenir, c'est que vous vous êtes accoutumé à la biochimie de ces activités mentales. Disciplinez votre esprit pour qu'il soit à l'écoute du moment présent. En faisant cela, imaginez que vous êtes en train de capter une station de radio, déconnectez votre esprit et éliminez les interférences que constituent la culpabilité, l'inquiétude et la peur, et centrez le sur la fréquence la plus nette, ne pensez qu'au moment présent et vivez le pleinement. Comme le Dr. Fiore l'a suggéré,

vous êtes capable, ici et maintenant, de relever chacun des défis
de la vie au moment où ils surgissent, mais ni avant, ni après.

Les rêves sont une fenêtre qui s'ouvre sur les images de votre
inconscient, reflétant la biochimie des cerveaux limbique et
reptilien. Examinez attentivement le contenu de vos rêves, spécialement ceux qui expriment des conflits. Notez-les, afin de
reporter ces événements inconscients dans votre conscience
éveillée. Grâce à cette technique, vous pourrez acquérir une
meilleure compréhension de vous-même et commencer à résoudre les conflits qui existent entre ces trois couches de votre
cerveau.

Récemment, on a observé un engouement pour la « thérapie
de la tendresse », que l'on considère comme une véritable pa-
nacée. Cette chaîne de tendresse envoie des messages d'amour,
de soutien et d'acceptation au cerveau limbique émotionnel. Il est
bien probable que cette thérapie déclenche les Endorphines.
Autorisez-vous des élans de tendresse et prodiguez-en autant que
possible, tout en restant à l'aise et authentique.

Notez l'effet placébo que vous observez chez vous ou chez les
autres. N'avez-vous jamais remarqué combien une personne
ayant une attitude positive peut communiquer à son entourage
un sentiment d'élévation ? De la même manière, une attitude
négative peut être néfaste à l'environnement. Pour être positif,
utilisez les impressions suivantes : par exemple, le sourire
peut-être considéré pour vous ou pour les autres comme un
placébo. Lorsque vous souriez, les muscles et les nerfs minuscules de votre visage renvoient des messages biochimiques à
votre cerveau, disant que vous êtes heureux et que vous vous
sentez bien. Evidemment le rire est contagieux, et cela aide les
autres à envoyer à leur cerveau le même message biochimique,
message de joie.

Ce n'est pas parce que vous avez été malade pendant un
certain temps, il y a un mois ou un an, que vous devez l'être
maintenant encore. Ce dont vous avez surtout besoin, c'est de
vous libérer de cette idée qui vous fait croire que votre réalité

présente est inséparable de votre passé. Alors seulement vous pourrez créer et façonner votre avenir comme vous le désirez.

Irving Oyle, Docteur en médecine.

CHAPITRE QUATRE

Stimulation et changement

Ainsi que nous l'avons appris dans les chapitres précédents, les substances biochimiques influencent notre santé et notre joie de vivre, maintenant en bon état notre corps, affectant le travail de notre esprit, nos émotions, et par là même nos attitudes. Un fragile équilibre de ces substances biochimiques définit notre réaction face au stress. Les Endorphines, qui aident le corps à préserver son équilibre, sont impliquées dans la façon dont nous percevons, sur le plan mental et émotionnel, le stress positif et négatif.

Lorsque nous sommes plongés dans le désespoir nous nous rappelons l'éclair de stress positif et nous aspirons à le retrouver. Qu'est-ce qui, en période de stress négatif, déclenche cet éclair produisant le sentiment de bonheur intense du stress positif ? Cette question va avoir en ce qui nous concerne des implications importantes. Nous savons que nous produisons des substances biochimiques puissantes et génératrices de plaisir qui contribuent à notre santé et à la qualité de notre vie. Et nous nous posons les mêmes questions que le toxicomane, nous ressentons le même désir impérieux. Comment déclenchons-nous cette réaction des Endorphines lorsque le besoin s'en fait sentir si violemmment ?

Peut-être avons-nous en mémoire une période privilégiée de notre vie pendant laquelle tout se passait merveilleusement bien. Il se peut que ce souvenir intense, ait entretenu longtemps cette sensation d'euphorie. Mais à présent seul le désir violent subsiste. N'avons-nous appris à déclencher cet éclair biochimique euphorisant qu'à l'aide de la mémoire ?

Lorsque la douleur torture notre être, qu'est-ce qui permet à notre sérénité et notre liberté de s'affranchir de l'emprise de cette douleur ? Et lorsque nous sommes heureux, tout notre corps répercutant l'éclair des substances biochimiques euphorisantes, qu'est-ce qui permet au flux du stress positif de circuler à nouveau ? Ou encore, qu'est-ce qui nous empêche de jouir du bonheur présent ? Les puissants agents biochimiques de la mémoire bloquent-ils littéralement l'afflux de la stimulation, nous empêchant de goûter cette satisfaction, nous dépouillant d'une conscience neuve ? Lorsque l'on se fie au passé, aujourd'hui n'est jamais aussi beau qu'hier. L'euphorie potentielle du jour présent est perdue, écrasée par le désir de revivre le jour passé.

L'enfant personnifie l'attitude inverse, pleine d'espérances, il est vivant et prêt à accueillir l'interaction avec le stress positif de la stimulation. Pour un enfant la vie est toute neuve. Nous autres adultes pourrions être tentés de vivre cette fraîcheur de la vie par procuration, à travers les yeux de l'enfant qui, lui, jouit naturellemnt de la Vie. Nous oublions que nous mêmes pouvons prolonger cette cascade d'Endorphines en utilisant notre regard d'enfant émerveillé, afin de maintenir un courant de vitalité perpétuel, un appétit et un amour pour la Vie intacts.

L'expérience de l'enrichissement

Afin de prolonger nos recherches pour déboucher sur des éléments complémentaires concernant le cerveau, rendons-nous à l'Université de Berkeley en Californie. Entrons dans les bâtiments où s'effectuent les recherches neurologiques. Nous allons visiter un autre laboratoire où l'on travaille sur des rats. Le Dr. Marian Diamond et son équipe ont conçu ce cadre d'expérimentation pour enregistrer systématiquement les effets de l'environnement sur le poids et la structure du cerveau, en établissant des comparaisons sur les cerveaux produits par des environnements variables.

En entrant dans cette pièce, on s'attendrait à y trouver de petites cages tristes contenant des rats en train de dormir, de grignoter ou d'explorer pour la millième fois leur morne prison, espérant en vain qu'il se passe quelque chose.

Mais ici les cages sont complètement différentes de ce que nous avions imaginé. En fait nous avons remarqué un bruit inhabituel en franchissant la porte, et un soudain accès d'activité provenant d'une grande cage placée bien en évidence sur une étagère attire notre attention. Nous remarquons que cette cage contient plusieurs animaux, mais qu'elle ne paraît cependant pas bondée ou encombrée. A l'intérieur, un groupe de rats s'activent vivement, ils paraissent jeunes et joueurs. Plusieurs d'entre eux examinent des objets qui ressemblent à des jouets. D'autres grimpent sur des escaliers et courent sur des roues qui semblent fort les intéresser. Tous paraissent bien s'amuser, comme les membres d'une famille s'ébattant dans un cadre idyllique.

Tout près de là se trouvent d'autres cages qui correspondent bien à ce que nous avons imaginé. Les rats sont isolés, chacun dans sa propre cage. Ils semblent manquer de quelque chose, bien qu'ils disposent de la nourriture, de l'eau, de la lumière et de l'air nécessaires. Dans une petite cage placée à côté de la grande, un rat solitaire est assis sur sa roue et observe ce qui se passe autour de lui. Il parait fasciné par l'activité qui règne dans la cage voisine, le regard rivé sur les ébats auxquels s'adonnent ses congénères plus heureux.

L'équipe de ce laboratoire travaille sur des environnements « enrichis ». Les jouets, les amis, la famille et les nouvelles expériences ont-ils une influence sur le cerveau et ses processus biochimiques ? Cette cage est « enrichie » à l'aide de jouets et de roues spéciales dans le cadre d'un projet expérimental original. On donne des jouets aux animaux afin d'observer de quelle manière va se développer l'interaction et quel type de réaction cérébrale cette activité pourrait provoquer.

Puis on ajoute de nouveaux jouets tous les deux ou trois jours pour remplacer les anciens. Les nouveaux jouets sont de taille, de forme et de conception différentes. Ainsi l'environnement expérimental modifie le potentiel d'interaction de façon permanente.

Ces recherches ne se limitent pas à l'observation de rats actifs en cage « enrichie », mais, par delà, posent la question de savoir de quelle manière l'enrichissement a affecté le cerveau des rats. A ce stade, les résultats obtenus par le Dr. Diamond nous fournissent des indications importantes concernant nos propres recherches sur le flux des substances biochimiques cérébrales et des Endorphines, ainsi que sur l'impact permanent de ces dernières dans notre quête de santé et de bien-être.

A l'issue de ces expérimentations, on compara le cerveau des rats ayant évolué en milieu ordinaire et celui de ceux ayant bénéficié d'un environnement enrichi. On découvrit chez ces derniers un cerveau de poids nettement supérieur. Que représente ce gain de poids ?

Pour répondre à cette question, penchons-nous à nouveau sur la structure cellulaire du cerveau. Comme nous l'avons appris, notre cerveau est composé de cellules spécifiques appelées neurones que l'on trouve également dans la moelle épinière et les systèmes nerveux périphériques, à travers le corps tout entier. On a découvert scientifiquement que la plupart des neurones ne se régénèrent pas. Nous sommes dotés à la naissance d'un certain nombre, invariant, de ces neurones, ce qui signifie qu'au cours de notre vie aucune cellule nerveuse supplémentaire ne sera crée. Cette découverte peut sembler à première vue décourageante : nous serions donc limités au cerveau avec lequel nous sommes nés, son potentiel de croissance bloqué avant même d'entrer en action.

Ainsi que vous vous le rappelez, les minuscules structures situées à l'extrémité de chaque neurone sont appelées dendrites. Chaque neurone est doté de ce système de ramifications. Une observation attentive fait apparaître de quelle façon les neurones peuvent varier d'un cerveau à l'autre. En nous remémorant notre comparaison du premier chapitre, nous pouvons nous représenter nos neurones comme les branches d'un arbre ayant terminé sa croissance. Lorsqu'une branche maîtresse est brisée, il est difficile pour l'arbre de la remplacer. Mais les feuilles de l'arbre possèdent, comme la masse des dendrites, un potentiel de changement et de régénération s'exprimant au fil des saisons. Ainsi le feuillage compact des dendrites emplit le bain biochimique et électrique qu'abrite l'intérieur de notre cerveau.

C'est ici qu'intervient une différence qui explique les variations dans le poids et la complexité du cerveau. A l'intérieur de chaque neurone lui même, la croissance des dendrites constitue le potentiel effectif du cerveau. Bien que nous ne disposions que d'une quantité limitée de neurones, la ramification, l'étirement et le prolongement des neurones peut se pousuivre tout au long de notre vie. C'est cette croissance et l'augmentation en densité de la masse des dendrites, en même temps que les structures qui les soutiennent, qui ajoute le supplémént de poids observé chez les rats « enrichis » du Dr. Diamond.

Les cobayes qui ont bénéficié de nouveaux jouets, de la compagnie d'une famille et d'amis, développent des cerveaux plus lourds que ceux qui vivent dans des cages isolées. La croissance ramifiée des dendrites se densifie tandis que ces rats « enrichis » s'activent dans un environnement changeant. Le cerveau des rats qui sont restés confinés dans le décor inchangé de leur cage solitaire, présente des dendrites moins nombreuses.

Au sein du vaste refuge que constitue notre cerveau se produit une interaction entre toutes ces minuscules dendrites dont le nombre parait infini. Cette interaction neuronale déclenche l'apparition de ces fameuses substances biochimiques dont nous avons si longuement parlé. Ainsi, à proximité de ces neurones et de leurs dendrites, apparaît un « bain » continuel de substances biochimiques fluctuantes qui se mélange et s'écoule. Puisque nous savons que l'interaction entre dendrites donne naissance au processus électrique du cerveau, nous pouvons donc considérer qu'une augmentation du nombre des dendrites améliore notablement le flux des substances biochimiques cérébrales. L'enrichissement devient alors un facteur déterminant, influant sur l'amélioration du flux biochimique en général, et des Endorphines en particulier.

A l'heure actuelle, on étudie de façon approfondie le concept d'environnement enrichi. Il est bien connu que les types d'environnements qui apportent un élément supplémentaire à une expérience, ont un effet positif sur notre cerveau. Les enfants bénéficiant à la maison de jouets éducatifs et d'un appui de leurs parents, obtiennent de meilleurs résultats scolaires et s'intègrent mieux en général, tandis que des enfants isolés, dont on ne s'est guère occupés et qui ont été privés de l'interaction procurée par les jouets et les nouvelles expériences, manifestent une capacité moindre à se concentrer, à apprendre, à s'impliquer avec succès dans la vie.

Nous pouvons, pour illustrer cela, emprunter un autre exemple au livre de Adley Montaigu *The human significance of skin* (la peau et les implications du toucher chez l'homme). Il cite le cas d'orphelins ayant été privés de contacts humains durant la petite enfance. Chez ces enfants apparait un syndrome appelé « inaptitude à réussir ». Bien que correctement alimentés, ils voient leur développement mental et affectif retardé. Ceci souligne la portée des stimulations provenant de l'environnement, non seulement au niveau du développement de l'enfant mais également chez l'adulte.

Les recherches du Dr. Diamond ajoutent une nouvelle dimension à l'environnement enrichi appliqué aux adultes. Revenons à nos cages du laboratoire de Berkeley. Les rats ressemblent à de jeunes enfants plein d'énergie en train de jouer. Assurément ils paraissent plus jeunes dans leur comportement que leurs homologues des cages voisines. Vérifions dans leur dossier l'âge de ces cobayes. Huit cents jours ? Non c'est impossible; cela signifierait que ces animaux ne sont déjà plus tout jeunes, voire d'un âge avancé. La durée de vie moyenne d'un rat de laboratoire n'excède généralement pas six cents jours. Ces rats qui paraissent encore si jeunes ont atteint un âge canonique ! supérieur d'un tiers à leur espérance de vie. Ils demeurent actifs et semblent même mener une vie heureuse et particulièrement bien remplie. Ils paraissent encore bénéficier, physiologiquement et psychologiquement de cet environnement enrichi.

Les recherches du Dr. Diamond se concentrent sur le processus du vieillissement, mais il ne s'agit pas là de ces études habituelles, si déprimantes, concernant la maladie et l'infirmité. Son travail est centré sur l'accroissement de la durée de vie des cobayes. Dans cette optique, elle étudie les environnements enrichis en tant que facteurs de comparaison détermminants dans le developpement du cerveau et le maintien de la vie. Le

Dr. Diamond et son équipe sont ainsi parvenus à prolonger la vie de leurs cobayes jusqu'à neuf cents jours, c'est à dire 50 % de plus que chez les rats ayant atteint six cents jours, ce qui représentait déjà une moyenne honorable. Ces rats vivent-ils plus longtemps parce que l'enjeu de leur vie est supérieur ? L'équipe du Dr. Diamond envisage cette hypothèse sérieusement.

A partir de ce que l'on sait généralement sur l'importance du développement infantile, on pourrait s'attendre à ce que ces rats enrichis bénéficient d'une interaction mutuelle et ludique parce qu'on les y a conditionnnés durant leur jeunesse. Mais à ce stade, le Dr. Diamond ajoute une complication supplémentaire au schéma expérimental. Car ces rats, bien qu'âgés à présent de huit-cents jours, n'ont été introduits que récemment dans cet environnement enrichi.

Alors qu'ils étaient déjà âgés de six cents jours, on les a retirés de leur environnement solitaire et placés dans des cages munies de jouets et en présence d'autres rats. (Nous pourrions nous livrer à des spéculations à propos des processus cérébraux du rat mélancolique qui se trouve dans la cage voisine). Tout comme les rats plus jeunes cités précédemment, les rats enrichis d'un certain âge manifestaient un comportement vif et affairé, escaladant les éléments placés dans leur cage et s'amusant avec les nouveaux jouets que l'on venait d'ajouter. Nous savons, nous autres humains, qu'un conditionnement social nous pousse parfois à associer dans notre esprit vieillissement et inactivité. Mais ces rats n'avaient apparemment été soumis à aucun conditionnement préalable. L'interaction se limitait pour eux à la cage « de maintenant ». L'enrichissement de l'environnement semble être ce dont la vie tire sa substance et sa qualité.

Le projet du Dr. Diamond présente également l'originalité de ne pas sacrifier les cobayes à un moment donné des expérimentations. On étudie le cerveau des rats morts de mort naturelle et on le compare à celui des rats morts dans leur cage solitaire. L'accroissement du poids du cerveau et l'augmentation de la masse des dendrites correspondante constitue les premiers indices d'une recherche visant à prolonger la durée de la vie et à en améliorer la qualité, ainsi que les premières réponses à nos questions quant à l'application de l'environnement enrichi à l'être humain.

Dans une conférence qu'elle donnait à l'Université de San Francisco, le Dr. Diamond a débattu de ce problème. Elle se demanda si l'on pouvait établir une corrélation directe entre l'augmentation du nombre des dendrites observée dans le cerveau des rats et le cerveau humain.

Pourquoi pas ? s'interrogea-t-elle. Le neurone est l'élément de base du cerveau chez tous les êtres vivants. Le cerveau de taille réduite d'un rat est comparable au cerveau plus volumineux d'un homme, tout comme une fleur sauvage est comparable à un arbre. Tous deux sont des végétaux, dotés d'une structure cellulaire identique, qui croissent et se developpent en réaction à l'environnement; le premier est tout simplement plus gros et d'une conception plus complexe que le second.

La cage intérieure

De minuscules cobayes au cerveau apparemment simple ont éprouvé les bienfaits d'une cage enrichie par des aménagements agréables. Pourquoi ne bénéficierions-nous pas aussi, nous qui disposons d'un vaste potentiel d'interaction, au moyen de nos dendrites, de l'environnement enrichi ? Nous pourrions bien, en effet, nous aussi aspirer passionnément à un enrichissement, pareils au petit observateur solitaire et mélancolique de la cage voisine. Parfois notre vie ressemble à une cage du fond de laquelle nous réclamons à grands cris un nouveau jouet, un nouvel ami. Mais ce sentiment/perception provient de l'intérieur de nous-même.

Ainsi que nous l'avons appris, un certain mélange ou déséquilibre dans les substances biochimiques de notre cerveau pourrait renforcer la sensation d'emprisonnement intérieur que nous éprouvons. Un excès ou un manque d'Endorphines peuvent potentiellement renforcer ou créer la perception de stress négatif et de douleur. Nous pouvons alors nous éteindre, consumés par une soif biochimique desséchante, douter de nous mêmes, nous sentir vulnérables, perdus et par instants tellement loin des êtres qui nous sont chers et qui s'inquiètent de notre sort. Prisonnier de ce déséquilibre biochimique, l'ennui, l'inactivité et la solitude peuvent alors obstruer notre existence; nous nous retrouvons comme le rat spectateur dans la solitude de sa cage, coupés de l'enrichissement dont jouissent d'autres personnes.

Nous sommes, à d'autres moments, entravés par la fureur de nos propres émotions. La colère ou l'indignation biochimique que nous contenons peuvent se déchaîner avec la violence d'une éruption volcanique, pour venir saboter de l'intérieur notre conscience ou éclater à l'air libre, submergeant notre entourage. Ou encore, nous pouvons nous trouver emportés par le raz-de-marée de la culpabilité, du doute, de l'apitoiement sur soi. Il se peut que ces sentiments auto-destructeurs finissent par éteindre le feu de la colère, mais ils peuvent également dévaster notre conscience ou le sentiment de notre propre identité. Nous risquons de nous trouver ligotés par nos propres mécanismes biochimiques cérébraux, espérant ardemment cet environne-ment enrichi qui nous vivifiera, nous libérant d'un égo oppres-sant, cependant que nous nous sentons accablés par la fureur et la pesanteur de ces assauts biochimiques.

Dans un article de « Discover » récemment paru et intitulé « l'esprit à l'intérieur du cerveau », des savants expliquent de façon détaillée ce que nous avons déjà découvert; à savoir que ces sentiments dévastateurs représentent un mélange biochimi-que spécifique secrété par notre cerveau. A partir de cette information et de ce que nous savons déjà sur la structure à triple couche du cerveau, nous pouvons avancer l'hypothèse selon laquelle les sentiments instinctifs seraient bien le produit d'ordres biochimiques visant à assurer la survie. Nos ancêtres ont survécu grâce aux priorités accordées par leur cerveau à la lutte pour la survie des leurs et de leurs troupeaux. A travers la voix de l'instinct, les forces biochimiques agissantes, et même les Endorphines, renforçaient ces courants de survie qui sont appa-remment capables de nous enfermer dans la colère, l'hostilité, la culpabilité et l'apitoiement sur soi dont nous avons parlé plus haut. Nos émotions destructrices peuvent se transformer en barreaux de prison qui nous séparent de la liberté de la Vie et de sa qualité virtuelle.

Une fenêtre vers la liberté

Evoquons une nouvelle image : imaginons un couloir d'hôpital menant à une série de chambres. Celles-ci ressemblent fort à des cages, conçues dans l'unique but de dispenser des soins efficaces. Tout au long de cette enfilade de chambres, des groupes de malades, dont l'aspect et l'état de santé sont identiques, sont en convalescence à la suite d'interventions chirurgicales importantes. Ces personnes ont été gravement malades et leur état de santé a nécessité la mise en oeuvre des technologies médicales les plus sophistiquées. A présent ils se remettent lentement, attendant que le processus de guérison se mette en place, afin de pouvoir quitter l'hôpital.

Ce processus de guérison, tout comme les émotions destructrices dont nous venons de parler, ressemble lui aussi à une prison enfermant les malades à l'intérieur d'eux-mêmes. Une rangée de chambres d'hôpital, comme une rangée de cages, abrite la maladie physique qui, au moyen de la douleur, contient et emprisonne la faiblesse, le dégoût, courants de symptômes révélateurs d'un processus morbide. Dans une étude récente sur le phénomène de la guérison, on a examiné de la même façon une série de chambres d'hôpital. Dans le cadre de cette expérience, toutes les chambres étaient conçues sur le même modèle, ce qui rappelle l'exemple précédent, à cela près que certaines d'entre elles présentaient une particularité unique.

Toutes étaient de petites cabines à l'usage des malades, mais quelques unes étaient munies de fenêtres s'ouvrant sur l'extérieur. Se pourrait-il que l'enrichissement que représente une ouverture accélère le processus de guérison ? Une stimulation visuelle aurait-elle une influence sur le flux bioélectrique qui hâte cette guérison ? C'est ce que les chercheurs se sont proposés de découvrir en tentant de répondre à ces questions.

Ainsi que l'expérience sur les rats enrichis du Dr. Diamond pouvait le laisser supposer, les patients bénéficiant d'une vue sur l'extérieur guérirent effectivement plus rapidement que ceux à qui leur environnement hospitalier n'offrait pas de nouvelles stimulations. Le fait même d'apercevoir l'extérieur paraissait être l'élément clé d'une guérison plus rapide. Mais pourquoi cela ? Une fenêtre apporte un enrichissement et modifie les sensations éprouvées par un malade car les informations visuelles stimulent les neurones, influençant l'équilibre des substances biochimiques cérébrales.

. La maladie est le plus souvent un processus de guérison. Les manifestations de fièvre, de faiblesse, de douleur signalent tout simplement les progrès de la guérison, bien qu'elles provoquent en apparence une perturbation. Le corps combat la maladie, souvent vaincue en dépit de rechutes et d'échecs apparemment nombreux. Les prisons de la maladie et du stress négatif peuvent évoquer pour nous la traversée d'un long tunnel qui déboucherait sur la guérison et le stress positif.

Pouvons-nous supposer qu'un environnement enrichi accélèrerait l'apparition de ce sentiment de liberté, au sortir du tunnel biochimique de la maladie et du stress négatif que nous fabriquons ? En d'autres termes, un environnement enrichi déclencherait-il, d'une certaine façon, une réaction des Endorphines qui influencerait alors la qualité de notre flux bioélectrique, améliorant ainsi la guérison et la qualité potentielle de la vie ?

La source des stimulations sensorielles

En examinant à nouveau attentivement le cerveau, nous nous interrogeons sur l'impact de l'environnement enrichi. Les cellules neuronales — dont le nombre s'élève, d'après une récente estimation des scientifiques, à dix millions au sein de chaque cerveau humain — détiennent par l'intermédiaire des dendrites, un vaste potentiel nous permettant de jouir de la vie. Ces dendrites s'étirent, s'étendent, croissent dans le but de créer le stimulus et le flux d'électricité biochimique qui nous maintient en vie et potentiellement en bonne santé.

Tandis que les dendrites croissent et s'étirent, leurs extrémités entrent en contact avec les extrémités d'autres cellules. A la jonction se produit une synapse, semblable à une étincelle dans une connexion électrique. Ce processus enflamme les substances biochimiques à l'intérieur de chaque espace synaptique, comme une allumette allume un feu. Imaginez tous les éclairs synaptiques. Cette boule d'énergie qu'est votre cerveau, resplendissant sur le corps, comme le Soleil sur la Terre, inonde votre enveloppe physique, jusqu'aux extrémités de vos doigts et de vos orteils.

Rappelons-nous à nouveau que ce soleil bioélectrique qui brille en permanence dans notre tête influence également directement notre équilibre hormonal, notre puissance immunitaire et notre santé. Il s'agit de l'électricité propre du corps, soumise à l'influence de nombreux agents biochimiques, connus et inconnus, affluant pour enflammer et maintenir notre Vie sous tous ses aspects.

Dans un compte rendu sur la biochimie cérébrale paru récemment dans la revue « Cellular and molecular biology » Peter Vaughan, chercheur à l'Université de Glasgow en Ecosse, suggère que certaines Endorphines pourraient « fixer l'enjeu » dans le maintien de nos mécanismes physiologiques. La théorie de Vaughan, qui emprunte sa comparaison à l'électronique, démontre que les Endorphines, qui fonctionnent à travers tout notre réseau biochimique et bioélectrique, pourraient bien être les régulateurs des processus de notre santé. Nos investigations portant sur les Endorphines et les problèmes qui y sont liés, tels que la tolérance/dépendance, l'accoutumance, la dépression, le stress positif et négatif et l'euphorie peuvent nous amener à une meilleure compréhension de la manière dont cette régulation intervient.

Ce vaste réseau est constamment en mouvement. En effet, la durée de chaque synapse est excessivement brève. Lorsque nous percevons la maladie, le stress négatif, la colère, la crainte ou le désir violent, notre corps ressemble à une prison de béton inaltérable. Mais ces conditions biochimiques négatives ne sont que des perceptions du moment. L'instant d'après, l'équilibre biochimique peut se retrouver projeté dans le passé. Une information nouvelle peut s'imprimer dans notre cerveau à n'importe quel moment à travers le réseau de nos cinq sens.

Dans le cas d'un patient cloîtré dans sa chambre d'hôpital, la fenêtre s'ouvrant sur l'extérieur apporte une information visuelle à un cerveau qui, lui aussi est impliqué dans la consolidation du corps et le processus de guérison. Chez les rats du

Dr. Diamond, les dendrites se développent et prospèrent sous la stimulation de l'enrichissement. Une bouffée de synapses nouvelles enflamme les substances biochimiques, influençant le flux de la croissance bioélectrique.

Pour nous résumer, une chambre d'hôpital avec vue sur l'extérieur ressemble beaucoup à une cage dont les cobayes ont reçu de nouveaux jouets. Dans l'étude citée plus haut, le processus de guérison se trouvait accéléré par l'ouverture sur le monde extérieur, représentant un environnement enrichi que l'on savoure et que l'on apprécie. La bioélectricité du cerveau, comme celle du cerveau des cobayes, peut se montrer réceptive à l'enrichissement que constitue la stimulation électrique de la conscience sensorielle. Notre sentiment d'emprisonnement biochimique interne peut se trouver libéré par une stimulation sensorielle d'enrichissement.

La vue, l'ouïe, la perception des parfums, des goûts, des consistances et de l'espace, qui sont toutes des formes de stimulations bioélectriques, sont les données qui apportent à notre cerveau sa notion propre et individualisée de la réalité. Des modifications dans les stimulations entraînent des modifications biochimiques, ce qui peut également changer notre perception de la réalité. Comme nous le savons à présent, les Endorphines affectent ce processus. Dans un compte rendu sur les Endorphines dans le système sensoriel, le pharmacologue A.W. Duggan de l'Université de Canberra en Australie, démontre, en s'appuyant sur les preuves qui s'accumulent, que les Endorphines sont impliquées, d'une manière ou d'une autre, dans le traitement électrique de l'information sensorielle. Citant deux études, le Dr. Duggan examine de quelle façon le type spécifique d'Endorphines appelées Enképhalines influence peut-être la capacité visuelle de la rétine et la capacité olfactive du bulbe olfactif. L'information sensorielle se transforme en stimulation bioélectrique, ce qui modifie les réactions du cerveau.

Dans la recherche sur le sens du toucher, la stimulation électrique semble être le point de départ d'événements biochimiques se traduisant par des taux d'Endorphines élevés. Un groupe de recherche sur les Endorphines qui se développe actuellement,

a démontré qu'une stimulation électrique peut soulager la douleur physique. Comme nous l'avons déjà vu, on a observé que de
nombreux types d'instruments et procédés électriques fonctionnent de cette façon. Des électrodes placés à l'intérieur d'une zone
spécifique du cerveau soulagent de manière significative la
douleur, opiniâtre et chronique de maladies en phase terminale.
On remarque que ce soulagement est régulièrement contré par
la naloxone, qui produit des effets inverses à ceux des Endorphines.

Une autre utilisation de la stimulation électrique, courante
dans les hôpitaux et cliniques aujourd'hui, consiste en un appareil portable permettant au patient qui souffre de placer lui
même des électrodes sur sa peau à proximité du point douloureux, et de contrôler, en fonction de la douleur, l'intensité du
courant électrique. La stimulation soulage habituellement la
douleur ou du moins l'atténue.

L'acupuncture est une autre illustration de ce phénomène. A
l'occasion de plusieurs études effectuées depuis la découverte des
Endorphines, on a constaté que le soulagement obtenu par
acupuncture voit ses effets inversés par la naloxone. Mais,
comme c'est le cas dans les thérapies par stimulations électriques
plus directes, l'acupuncture ne soulage la douleur que de façon
irrégulière. Pourquoi un traitement par stimulation, visant à
provoquer des modifications biochimiques, obtiendrait-il des
résultats variables ?

Le Dr. Wold, spécialiste du traitement de l'arthrite, utilise un
appareil électrique stimulant les points d'acupuncture pour
soulager les douleurs arthritiques violentes. Il a remarqué que
le soulagement variable obtenu ainsi, comparable aux résultats
obtenus par les placébos, semble être lié au fait de croire ou non
à l'efficacité du traitement électrique. La stimulation électrique
déclenche une réaction des Endorphines, mais la confiance
accordée au traitement, autre facteur dans le processus bioélectrique, pourrait renforcer ou prolonger l'efficacité du courant
électrique; tout comme le manque de confiance et ses répercussions bioélectriques peuvent abréger ou diminuer l'efficacité de
n'importe quelle thérapie.

Le Dr. D.G. Smyth, l'un des savants à s'être penché sur les découvertes concernant les Endorphines à l'Institut National de la Recherche Médicale à Londres, a proposé une vision du problème comparable. Il se demande si les variations de la puissance analgésique des Endorphines sont sensibles aux stimulations de l'environnement. Il suggère également que des facteurs tels que l'âge, le sexe, le stress, et le vécu mental et émotionnel tout au long de son existence peuvent influer sur les processus bioélectriques. Ces facteurs peuvent se trouver renforcés par l'éducation, les expériences de l'enfance, la façon dont on nous a traités ou par les espoirs que l'on a placés en nous. De nouveau les attitudes, les espérances, les perceptions et les croyances modelées par les événements biochimiques précédents, et probablement par les Endorphines elles-mêmes, peuvent affecter des processus physiques tels que la douleur, le stress négatif et positif ainsi que la guérison.

Les obstacles au courant des Endorphines

Les stimulations de l'environnement transmises par le canal électrique de nos cinq sens peuvent livrer à notre cerveau une information enrichie. Ainsi que nous l'avons remarqué dans le domaine de la sensation et du toucher, les thérapeutiques par stimulation électrique telles que l'acupuncture, peuvent soulager la douleur par le mécanisme des Endorphines. Mais comme dans les cas de soulagement variable et de l'emploi de placébos, la façon de percevoir les stimuli et le crédit qu'on leur accorde, peuvent affecter l'issue du traitement.

C'est comme si le fait même de croire à l'efficacité d'une thérapie modifiait l'équilibre biochimique du cerveau. Il semblerait que les attitudes, perceptions et états mentaux qui se trouvaient précédemment relégués au cerveau, favorisent la réceptivité à la stimulation. Inversement, un manque de confiance ou une réception inhibée pourrait bien modifier également l'environnement biochimique.

Il apparaît donc que l'expérience de l'enrichissement ne constitue pas uniquement un processus de guérison. La notion que nous, êtres humains, avons de l'enrichissement ne se limite pas à de nouveaux jouets ou des cages plus spacieuses contenant nos amis et notre famille. Nous pouvons bénéficier et bénéficions effectivement de la stimulation enrichissante. Mais notre propre perception de cette information reçue de nos cinq sens, semble être un facteur bioélectrique majeur. La réceptivité à l'enrichissement paraît affecter à la fois le flux biochimique et notre conscience de l'enrichissement.

Comment se fait-il que notre cerveau, avec l'immense potentiel de ses dendrites, puisse se trouver obstrué au point que nous perdions notre aptitude à recevoir cet enrichissement qui est pourtant à notre disposition en permanence ? Nous vivons dans un monde merveilleux où les occasions de s'enrichir par l'expérience ne manquent pas. Si l'on excepte les périodes d'isolement (et parfois même alors), il est toujours possible de percevoir l'extérieur, des sons qui nous font réagir, des consistances qui nous intriguent, une douce chaleur, une agréable fraîcheur, la saveur tour à tour douce et amère de la Vie. Des sensations variées attendent notre conscience à tout moment. Hélène Keller elle-même que sa cécité limitait aux stimulations du toucher, du goût et de l'odorat percevait l'enrichissement de ce monde magnifique qu'elle appréciait pleinement.

L'influence potentielle du passé et de l'avenir

Notre étude du cerveau, des mécanismes biochimiques de ses Endorphines nous a amenés à examiner les processus bioélectriques. Une certaine forme de parasites électriques serait-elle l'obstacle aux stimulations qui entravent la réceptivité d'une conscience enrichie ? Nous avons appris que la représentation mentale constitue le potentiel du cerveau, potentiel utile ou néfaste selon les cas. Par notre aptitude à visualiser, nous pouvons créer en nous une sensation biochimique. Nous avons illustré cette capacité du cerveau par la comparaison du citron évoquée plus haut.

Rappelez-vous que nous pouvons, par le seul pouvoir de l'auto-suggestion, nous représenter le citronnier, entendre la légère brise qui en agite les branches, à l'extrémité desquelles nous sentons les fruits pesants; à présent, nous épluchons la surface inégale d'un citron dont nous respirons le parfum et goûtons le jus piquant. Ce faisant, il se peut que l'impression biochimique fournie par nos cinq sens nous paraisse aussi vraie que si le citronnier existait réellement devant nous.

Le Dr. Fiore, avec qui nous avons pour la première fois tenté cette expérience d'auto-suggestion en 1980, explique de quelle manière le potentiel du cerveau ressemble à des parasites qui obstrueraient notre conscience.

Nous sommes capables de nous souvenir des sensations passées, dont notre cerveau peut nous fournir le détail. En fait, certaines de ces sensations semblent maintenant plus vives que l'instant présent qui s'enfuit déjà. Ces détails, que l'on retrouve jusque dans les souvenirs olfactifs et tactiles, sont gravés si profondément dans notre cerveau qu'il nous est possible de les re-vivre indéfiniment.

Le célèbre compositeur Ludwig Van Beethoven sut tirer parti de cette capacité du cerveau. A la fin de sa vie il souffrait d'une surdité totale, cependant son aptitude à se rappeler les sons et les harmonies, et à les évoquer mentalement, était si puissante qu'il était encore capable de composer de grandioses symphonies pour le plaisir des oreilles d'autres auditeurs.

De la même façon, notre cerveau a la possibilité de nous projeter dans l'avenir. Nous pouvons aisément concevoir une impression avant qu'elle ne survienne effectivement. A la lecture de la recette d'un plat, nous en savourons déjà le goût. Ou encore, la planification minutieuse de nos vacances nous enchante, et nous vivons déjà ces vacances avant même d'avoir effectué les réservations. Mais les souvenirs du passé et les extrapolations du futur peuvent se transformer littéralement en parasites électriques qui altèrent les capacités de notre cerveau et brouillent la réception de la stimulation bioélectrique présente.

Le Dr. Fiore s'est concentré sur ce problème dans le cadre de ses cours sur la gestion du stress. Il décrit de quelle façon un potentiel biochimique peut se révéler néfaste ou restrictif dans notre vie. Par notre capacité à nous souvenir, nous nous tourmentons nous-mêmes avec ces visions parasites : « si j'avais sû... ». Nous revivons des expériences douloureuses, les tournant et retournant dans notre tête, avec le vain espoir de pouvoir encore y changer quelque chose. Nous nous accablons par la culpabilité liée à ce que nous n'avons pas fait et aurions dû faire. Nous nourrissons une colère, une rancune tenace, intacte dans la biochimie de notre cerveau et qui entrave nos possibilités du moment.

Un passé heureux lui-même peut nous dépouiller de notre potentiel présent à jouir d'une conscience sensorielle enrichie. C'est le souvenir nostalgique d'une époque heureuse où le monde semblait plus beau qu'aujourd'hui. Nous ne cessons de revivre ce passé, jusqu'à le confondre avec le présent.

Nous avons déjà examiné le rôle que jouent les Endorphines dans les processus de la mémoire. Le bonheur éprouvé dans une situation donnée, fait que l'euphorie biochimique imprime cet instant à l'intérieur de notre cerveau, créant ainsi un puissant souvenir. Les chercheurs mentionnés au chapitre trois, les Dr. Stein et Beluzzi de l'Université d'Irvine en Californie, avancent l'hypothèse qui ferait des Endorphines les agents biochimiques responsables de ce processus cérébral.

Lorsque nous nous sentons heureux ou euphoriques, une réaction biochimique vient renforcer le souvenir, pour graver, peut-être, un moment de suprême bonheur à l'intérieur même de nos dendrites et de nos neurones. C'est ainsi que les sensations passées peuvent être rappelées, encore et toujours, dans la quête d'une « défonce » biochimique.

Le Dr. Fiore nous met également en garde contre un autre danger potentiel lié à la capacité de projection dans le futur, du cerveau. Nous pouvons nous stresser négativement par le parasitage de visions chimériques. C'est à ce stade que l'inquiétude et la crainte peuvent influer sur notre équilibre biochimique. Le Dr. Fiore cite des exemples dans lesquels des étudiants utilisent, à leur insu, cette visualisation pour saboter leur travail, en se disant par exemple : « Et si je rate cet examen ... ? » ou encore « et si je me fais renvoyer de l'école ? » L'évocation de ces sombres images constitue une utilisation inadaptée et stressante des capacités du cerveau.

L'inquiétude et la peur sont les signaux de détresse, les parasites bioélectriques qui peuvent, si on s'y abandonne de façon chronique, affecter les processus corporels en cours.

Vous vous souvenez que le stress lui-même est un facteur reconnu du déclenchement de la réaction endorphinique. Se pourrait-il alors que l'inquiétude et la crainte créent le stress qui induit le courant bioélectrique des Endorphines ? Si c'est le cas, le fait de s'adonner régulièrement à des représentations mentales dictées par la peur et l'anxiété, pourrait créer l'accoutumance, entamant ainsi le cycle de tolérance/dépendance que nous connaissons.

Si nous pouvons littéralement nous acheminer vers une dépendance aux interférences que représentent la peur et l'inquiétude, accumulant le stress au point qu'il devienne néfaste, nous pouvons ainsi facilement nous faire du mal, d'une façon comparable à l'héroïnomane devenu dépendant de choix et de comportements destructeurs.

Tout comme la douce nostalgie biochimique du passé, la représentation d'un bonheur futur peut être, elle aussi, le parasite qui entrave le potentiel enrichi de la conscience présente. Nous pourrions dépenser une énorme quantité d'énergie bioélectrique à imaginer ce jour lointain où il nous sera permis de jouir d'un bonheur sans entrave. Nous pensons à ce qui pourrait changer dans notre vie, ou à de merveilleux amis que nous pourrions rencontrer, ou encore aux vacances de l'année prochaine, à la retraite d'ici une dizaine d'années... Il est bon de posséder la capacité biochimique à établir des plans pour l'avenir ou à corriger des erreurs passées, mais lorsque cette représentation mentale fonctionne en permanence cela nous donne une notion déformée de la réalité. Les images du passé et de l'avenir ne sont plus que l'illusion du présent.

Dans cette réalité inadaptée, nous pouvons nous entraver nous même, encore une fois comme le toxicomane qui continue

à recourir à sa dose initiale mais qui, bien vite, a besoin de
l'augmenter. Si nous maintenons une dose de base du bonheur
lié à la nostalgie du passé ou aux promesses de l'avenir, nous
pouvons rapidement nous trouver habités par le désir impérieux
d'une euphorie plus grande. Notre accoutumance à la projection
dans le passé ou dans l'avenir bloque notre potentiel à jouir de
l'euphorie et de l'élan présents.

Nous basant sur des attitudes préconçues, ou succombant aux
interférences de l'inquiétude, de la peur, du doute ou de la
culpabilité, nous pouvons faire obstacle à une réaction électriquement euphorisante et positive face à la stimulation du
changement. Alors, et particulièrement lorsque nous veillissons,
il se peut que nous bloquions le potentiel de réaction à la
stimulation de notre cerveau, anéantissant par là même sa
capacité à préserver et réguler la qualité de notre santé et de
notre vie. Tout comme le fait de croire à la stimulation et d'y être
réceptif pourrait influencer positivement les événements bioélectriques, de la même manière, une résistance obstinée pourrait
constituer l'ultime interférence négative bloquant le flux biochimique et l'empêchant de circuler librement.

Par quoi est donc provoquée cette résistance au changement ?
Nous possédons une conscience du monde qui nous entoure.
Nous fiant à cette conscience, notre environnement pourrait
nous apparaître tout-à-fait structuré et sécurisant. Nous pourrions alors être amenés à nous reposer sur la perception de ces
structures dans le but d'asseoir et stabiliser notre sentiment
d'identité. Après l'hiver vient le printemps, au père succède le
fils, voilà qui nous semble parfaitement naturel. Mais au jour
d'aujourd'hui, l'état du monde qui nous entoure nous semble
stable et nous inspire confiance. Cette conscience ou définition
du monde en tant que lieu structuré, est une façon de percevoir
conditionnée; elle nous a été inculquée par l'éducation. Au
niveau biochimique, nous avons noté que ces croyances sont
renforcées par un processus bioélectrique qui semble se graver
à l'intérieur de notre cerveau. Nous en venons à accorder notre
confiance à notre environnement en tant que structure en place
inaltérable.

C'est ainsi que nous pouvons nous trouver à contre courant de ce monde présent en mouvance perpétuelle, opposant une résistance passive à cet environnement incroyablement enrichissant, allant jusqu'à souhaiter, parfois, que l'on nous laisse hiberner paisiblement dans notre petite cage solitaire.

La rivière du changement s'élargit

Retrouvons à présent, à Berkeley, la cage enrichie du Dr. Diamond pour examiner l'un des aspects les plus importants de son étude sur les réactions du cerveau. Plusieurs jours se sont encore écoulés, et la cage semble quelque peu différente. La même impression d'enrichissement demeure, mais un nouvel élément est venu s'ajouter. Les rats qui, auparavant actionnaient des roues, escaladaient des marches et s'amusaient avec des jouets, semblent à présent occupés par une nouvelle série d'objets. Ils paraissent éprouver un vif plaisir, conservant un niveau d'intérêt et d'activité qui n'a rien en commun avec l'attitude des rats vivant dans des cages dépourvues de jouets. Tout comme auparavant, ils sont très actifs, se consacrant fiévreusement à une exploration qui leur permet de bénéficier d'une interaction avec l'environnement présent.

Le renouvellement délibéré des jouets constitue, dans le cadre de ces expérimentations, une incitation constante à l'exploration et à l'interaction. Le Dr. Diamond explique que cet aspect de son projet est d'une importance capitale et représente peut-être le secret de la longévité étonnante de ses cobayes. Tandis que les rats reçoivent de nouveaux jouets pour remplacer les anciens, l'environnement expérimental se modifie et encourage les animaux à maintenir une réaction exploratrice à la stimulation de la nouveauté. Le Dr. Katz, qui se consacre à la recherche sur la santé mentale au Centre Médical de l'Université du Michigan, a examiné le lien existant entre cette démarche-découverte et les Endorphines. Il laisse entendre que les Endorphines jouent un rôle dans le renforcement de ce comportement. Il cite l'exemple de cobayes dont l'activité exploratrice augmente nettement après provocation artificielle de l'apparition d'Endorphines. Cette découverte indique de manière claire que les Endorphines sous-tendent le comportement, lié à l'instinct de conservation, poussant à explorer et à rechercher l'interaction avec l'environnement.

Mais le Dr. Katz va encore plus loin; il explique, dans le compte rendu de ses propres recherches, comment la naloxone, inversant une fois encore les effets des Endorphines, peut diminuer les réactions exploratrices, même dans un environnement nouveau ou enrichi.

Mais pouvons-nous supposer également que l'exploration, à son tour, renforce la réaction des Endorphines ? En nous appuyant sur ces expériences, entamons notre propre recherche. Le changement nous est apparu comme un facteur clé dans l'environnement enrichi recréé en laboratoire. Les cobayes maintiennent une activité élevée et de fortes réactions exploratrices face à un environnement changeant. Leur cerveau semble bénéficier de cette stimulation; les dendrites se développent et s'étendent, créant un potentiel synaptique accru. Davantage de synapses, davantage d'éclairs bioélectriques et le cerveau entretient son feu électrique vital. Le changement, la stimulation, la réaction exploratrice sont les composantes d'un processus permanent qui affecte la durée et la qualité de la vie.

Ainsi que nous le savons, les rats enrichis du Dr. Diamond vivent plus longtemps, demeurent en meilleure santé et plus actifs que les rats privés de la stimulation du changement. Comment pouvons-nous nous procurer cette même sensation ? De quelle manière pouvons-nous nous conditionner afin d'être plus réceptifs aux changements que nous rencontrons inévitablement chaque jour ?

Actuellement, les scientifiques s'interrogent sérieusement sur ce phénomène du changement. En effet, le Prix Nobel a été décerné à un savant qui s'y est intéressé, le Dr. Prigogine, chimiste belge, ayant débuté ses recherches en observant la nature de réactions chimiques complexes dans les processus fondamentaux de la Vie. Le Dr. Prigogine note, tandis que les réactions chimiques se combinent ou se séparent, que ces événements sont universellement accompagnés de la présence de turbulences, qu'il nomme « chaos ».

Il a élaboré une théorie concernant la valeur intrinsèque de ces turbulences ou chaos. Il y voit le processus de fermentation dont l'action est de restructurer les substances biochimiques à l'intérieur du processus de changement, comme un catalyseur indispensable à la croissance de la Vie. En outre, il observe que plus la substance biochimique est complexe, plus la turbulence ou le chaos qui accompagnent le changement sont importants.

Comment ces découvertes s'appliquent-elles au changement qui nous affecte ? Lorsque nous percevons le changement comme une menace, nous commençons à y résister. Mais plus nous résistons à ce chaos apparent, plus le problème de la turbulence devient complexe (et le potentiel de stress négatif avec l'accroissement des maladies qui l'accompagnent).

Cependant la théorie du Dr. Prigogine affirme que le chaos lui-même (comme celui qui règne actuellement dans le monde) est un prélude essentiel à toute croissance ou amélioration dans

s'inquiète pas de ce chaos, au contraire il se montre optimiste. Il voit dans le résultat de ses observations une translation représentative de l'ensemble de l'Evolution, qui veut que tous les systèmes vivants poursuivent leur voyage au gré des fluctuations d'un environnement toujours changeant.

Ce remaniement perpétuel constitue un cycle d'échange d'énergie permanent, que l'on n'observe pas seulement dans les réactions chimiques mais également chez les êtres humains, au sein des sociétés et des éléments constitutifs de la Nature elle-même. Cette incohérence et ce désordre apparents ne sont que le déplacement d'un ordre ancien, par l'intermédiaire du chaos, vers un degré supérieur d'organisation. En effet, le Dr. Prigogine implique que, paradoxalement, la structure « fixe » à nos yeux se modifie en réalité au ralenti.
Le Dr. J. Hughes, l'un des pionniers en matière de recherche sur les Endorphines, a remarqué que celles-ci illustrent de manière remarquable la flexibilité et la capacité de notre corps à s'adapter d'un instant à l'autre aux événements biologiques en cours.

Si nous pouvons imprimer une translation semblable à notre conscience, en nous souvenant notamment de la valeur que représente pour les cobayes un environnement changeant, nous pouvons partager la vision optimiste du Dr. Prigogine concernant le changement. Comme nous l'avons vu, les chercheurs envisagent les processus cérébraux de la même façon que le Dr. Prigogine envisage la Vie. La structure de notre cerveau n'est pas figée, inaltérable, mais accueille un courant bioélectrique fluctuant, le processus infiniment complexe de la perpétuation de la Vie.

L'euphorie, moteur du changement

Les travaux du Dr. Diamond nous ont amenés à considérer l'environnement changeant comme le catalyseur de l'amélioration du développement cérébral, de la croissance des dendrites et de la longévité. Par l'interaction au niveau des dendrites, l'activité synaptique libère les substances biochimiques du cerveau. La présence d'un environnement changeant pourrait-elle représenter le catalyseur stressant qui sert de détonateur au potentiel euphorisant des Endorphines ? Le cerveau des cobayes qui semblent apprécier la compagnie de leurs congénères et l'amusement que leur procure de nouveaux jouets contient-il une quantité supérieure ou un flux plus régulier d'Endorphines ? Le flux d'Endorphines présente-t-il un quelconque rapport avec la longévité inhabituelle de ces rats ? L'idée que nous nous faisons de l'enrichissement est-elle révélatrice d'un environnement pouvant, d'une certaine façon, grâce au changement, déclencher une réaction des Endorphines permanente, régulière et euphorisante, qui nous permettrait de nous sentir bien mentalement et physiquement ? Envisageons l'éventualité d'une action effective de l'environnement enrichi sur les Endorphines et la nature bioélectrique de la vie. Une telle stimulation, dont on sait qu'elle fonctionne par l'intermédiaire du toucher, peut littéralement soulager la douleur. Les réactions des Endorphines proviennent de la stimulation de nos quatre autres sens, à savoir ce que l'on voit, entend goûte et sent.

Nous avons également examiné l'éventualité d'une influence significative des croyances, attitudes et perceptions sur les facteurs électriques impliqués dans les processus biochimiques. La croyance peut modifier et même créer dans le cas des placebos, un soulagement à la douleur. Il s'ensuivrait alors que l'attitude pourrait également influencer la manifestation d'une quelconque sensation électrique tendant à la production d'Endorphines et la conscience de l'euphorie ou du stress négatif. Notre réalité se trouve-t-elle enrichie ou appauvrie parce que nous la percevons comme telle ?

Imaginons à présent que nous nous trouvons sur le flanc d'une montagne recouverte d'arbres gigantesques. Jadis un homme parcourut cette chaîne de montagnes abruptes, cet homme était livide, il semblait à bout de souffle, désespéré; il souffrait de tuberculose. Nous allons faire connaissance avec cet homme qui s'appelait Galen Clark. Le récit de cette histoire vécue est une illustration supplémentaire du rôle de l'enrichissement dans la guérison et l'embellissement de la vie.

Cette région montagneuse inclut l'immense et magnifique contrée du Yosemite en Californie. Galen Clark avait, pendant la majeure partie du début de sa vie essuyé des revers financiers répétés. Déjà veuf et dépourvu de ressources il ne pouvait assumer l'éducation de ses enfants car il souffrait de tuberculose. Les médecins lui avaient prédit une fin prochaine — ses poumons ayant subi des lésions irréversibles —, et une agonie atroce dans les douleurs de l'asphyxie tuberculeuse.

Cette terrible condamnation accompagnée de la toux sanglante qui lui déchirait la poitrine, laissant présager une mort imminente, avaient décidé Clark moribond à se rendre dans un endroit magnifique, qu'il avait jadis visité, pour y passer en paix ses derniers moments. Il prit les dispositions nécessaires à l'adoption de ses enfants, fit ses adieux à son ancienne existence et consacra ses dernières forces à transporter son corps malade jusque dans le Yosemite.

Ayant cependant déjà eu un bref contact avec ce pays, Galen Clark n'était pas préparé au décor grandiose et à la nouvelle expérience qui l'attendait. Il s'établit sur le flanc occidental de la Sierra du Yosemite, attendant la mort dans cette forêt paradisiaque. Mais tandis que les jours s'écoulaient, son énergie réapparut et la montagne le vit bientôt arpenter ses pentes abruptes, animé d'un souffle et d'un élan nouveau.

Il s'intéressa vivement à la vallée du Yosemite qui se trouvait à une bonne journée de marche de l'endroit où il s'était établi. Et, à proximité de son campement, il découvrit les grands sequoias de cette région que l'on appelle maintenant Mariposa Grove. Il entreprit de prodiguer ses soins à ces géants de la forêt, les préservant de toute exploitation éventuelle. Il témoigna dans l'accomplissement de sa tâche d'un tel enthousiasme et d'un tel dévouement qu'il fut nommé en 1866 premier garde forestier officiel du Yosemite, dix ans après l'ultimatum fatidique que lui avaient fixé les médecins. Galen Clark occupa ce poste et assuma les responsabilités, stressantes mais gratifiantes, qui y étaient liées, d'une façon intermittente pendant quarante années supplémentaires et mourut à l'âge respectable de quatre-vingt-seize ans.

Galen Clark découvrit l'enrichissement, la guérison et le bonheur en choisissant l'interaction avec le changement, dans un environnement à la fois admirable et représentant un défi quotidien. Les médecins avaient-ils commis une erreur en prononçant leur funeste diagnostic ? Probablement pas. Mais alors comment le corps de Galen Clark déjà dévasté par les ravages d'un mal avancé retrouva-t-il cette vigueur qui lui permit de mener une vie extrêmement active pendant encore cinquante années ?

Nous ne pouvons rien affirmer de façon catégorique, mais il est probable qu'il s'agit là de la convergence d'un certain nombre de facteurs, comprenant notamment l'air pur, l'activité physique accrue, l'ivresse et le stres positif que provoquent de nouvelles entreprises et tentatives, l'appréciation des beautés de la Nature, les espérances retrouvées et un amour de la Vie renaissant. Ces éléments représentent tous des détonateurs potentiels de stimulations aidant à recréer un flux curatif à travers le corps miné par la maladie. Plus important encore, peut-être, que les facteurs physiques eux-mêmes, le bonheur et un épanouissement profond furent les moteurs de cette métamorphose.

Un environnement enrichi, dont nous pouvons prolonger l'étude, stimule la ramification et la croissance des dendrites, créant des substances biochimiques euphorisantes qui ont un impact sur notre santé et notre bonheur.

Ainsi s'écoule notre rivière biochimique, imprimant sa marque sur chaque instant de notre vie. En effet, elle semble avoir une influence sur ce que nous faisons, pensons et sentons. Elle reflète notre conscience, nos actions, nos perceptions, l'idée que nous nous faisons de nous-mêmes et des autres. Elle affecte ce que nos cinq sens communiquent à notre cerveau, à savoir tous les messages qui affluent à notre corps sous forme de douleur, de plaisir, de stress positif et négatif, se manifestant par la santé ou la maladie. Tous ces facteurs se combinent et circulent dans le monde infiniment petit mais infiniment subtil et puissant de notre électricité cérébrale.

A ce point de notre étude, nous avons examiné quelques unes des recherches et expérimentations qui ont mené à la découverte des Endorphines, et ouvrent la voie à d'autres investigations.

A partir de notre propre expérience de la vie, nous pouvons porter un nouveau regard sur l'environnement enrichi présent et futur de notre existence, et examiner le parti que nous pouvons tirer de ce vaste potentiel des Endorphines, euphorique et régulateur de la santé .

Applications pratiques

Que représente pour vous un environnement « enrichi » ? Au fur et à mesure que vous élaborez votre propre définition, au gré des expériences de l'existence, souvenez-vous que la diversité et le changement sont les épices qui relèvent la saveur de la vie. Demeurez, autant que possible, réceptif à la stimulation permanente du moment présent; celle-ci favorise la croissance des dendrites de votre cerveau, permettant une interaction plus efficace avec la vie et l'environnement.

Lorsque vous vous trouvez incapable de recevoir ou « embourbé » dans une situation qui a cessé de vous procurer du plaisir, découvrez la stimulation vivifiante qui ranimera votre décor quotidien — un simple détail suffit parfois, un bouquet de fleurs pour égayer votre intérieur, une musique qui surprend agréablement votre oreille. Rappelez-vous que la plupart du temps l'environnement créé par l'homme tend à devenir statique et monotone, sa qualité dépendant en fait de notre capacité à y adjoindre un élément nouveau par nos attitudes et nos croyances.

Lorsque vous vous surprenez à dire : « et si ... ? », vous utilisez la capacité de votre cerveau à imaginer et planifier l'avenir. Mais si cela vous pousse à une inquiétude ou une crainte qui s'expriment en permanence, alors il se peut que vous souffriez de dépendance à ce type de stress qui peut facilement déboucher sur le désespoir et la maladie. Pour vous aider à mettre un terme à ce cycle vicieux, substituez délibérément à ces sombres images la concentration précise sur l'instant présent, sa beauté, ses exigences mais aussi ses potentialités.

Lorsque vous revivez d'anciennes expériences, vous utilisez alors la capacité biochimique de suggestion du cerveau à « rejouer » le passé. Il est vrai qu'il est tentant de se réfugier dans le passé, particulièrement lorsque ce dernier semble plus séduisant que le présent. Mais les souvenirs ne stimulent pas la croissance des dendrites et le flux biochimique électrique. Seule une réceptivité focalisée sur l'instant présent en est capable. Autant que possible abandonnez le « play-back » pour vivre en direct.

Parfois la vie semble effectivement pleine de problèmes accablants. Alors il est encore plus facile de souffrir d'accoutumance à l'angoisse de l'avenir ou au culte du passé. Cependant, la solution à ce problème réside souvent dans votre propre potentiel de développement en réaction au changement. Tandis que vous vous abandonnez à l'interaction avec la vie, la croissance des dendrites provoque de nouvelles synapses et un afflux de substances biochimiques. Ces modifications à l'intérieur de votre cerveau peuvent vous aider à affronter les ennuis qui surviennent.

Lorsque vous vous sentez prisonnier d'une certaine manière d'être ou de penser, et particulièrement si vous vous sentez négatif ou accablé, faites vous masser tout le corps ou frictionner les pieds. La peau contient d'innombrables récepteurs d'Endorphines; par conséquent le massage, la stimulation des points d'acupuncture par simple pression, la réflexologie plantaire et autres formes de « travail corporel » constituent des stimulations qui possèdent un pouvoir de soulagement de la douleur considérable, fonctionnant par l'intermédiaire du toucher. Ces thérapeutiques peuvent également aider à libérer les substances biochimiques indispensables à une modification des perceptions.

Tandis que vous recherchez votre propre croissance par une interaction permanente avec la Vie, envisagez les opinions et croyances qui peuvent différer des vôtres. Recherchez l'alternative de systèmes de valeurs différents qui pourraient bien avoir un effet positif sur votre problème. Par une attitude ouverte, vous permettez à vos dendrites et synapses d'incorporer ce que vous apprenez à ce que vous savez déjà. Remettez en question ce que vous croyez et particulièrement ce que vous ne croyez pas. Rappelez-vous que le fait de croire constitue un processus bioélectrique sur lequel on peut avoir une influence; conservez un esprit réceptif aux nouvelles stimulations, aux nouvelles idées, aux nouveaux choix.

Admirez la beauté de la Nature et voyez en elle l'ultime environnement enrichi, le puissant détonateur des Endorphines. Comme Galen Clark, passez le plus de temps possible au contact de la Nature. Entre deux séances de travail faites une pause dans un parc ou dans un jardin. Profitez de vos vacances pour découvrir la splendeur des sites naturels, et devant ces derniers, ne vous contentez pas de regarder : utilisez au maximum vos quatre autres sens dans une interaction épanouissante avec l'environnement.

J'ai découvert que je vis également dans l'aube de la création, les étoiles du matin unissent encore leur chant, et le monde, à peine adolescent, devient plus beau chaque jour.

John Muir

CHAPITRE CINQ

Le bonheur et la guérison

sont en vous

Comme les jours se suivent mais ne se ressemblent pas ! En jetant un regard sur les derniers événements de notre passé, nous nous souvenons d'une chaîne de moments extraordinaires qui miroitent comme de l'or dans un ruisseau. Ces souvenirs s'embrasent dans notre mémoire, se détachant comme des perles incandescentes sur la surface terne des années et des jours.

Pensez à ce qui les a rendus si précieux, si inestimables —une fraîcheur sensorielle, une nouvelle expérience, un instant de vive inspiration. Nous percevons soudain un frisson qui parcourt notre colonne vertébrale, ou un besoin urgent de nous engager à corps perdu dans l'amour, le don, ou la joie de recevoir. Ces souvenirs semblent appartenir à une réalité en-dehors de l'espace et du temps. S'agit-il à nouveau des Endorphines ? Voilà encore un autre aspect des influences biochimiques à soumettre à notre réflexion. Pendant ces moments d'amour et de bonheur profonds, notre cerveau regorge-t-il vraiment de substances biochimiques propres à l'euphorie ?

De l'être au devenir

Nous sommes régulièrement enflammés par la bioélectricité, courant d'énergie étincelante, sphère rayonnante, perpétuellement créé et recréé. Infinie dans sa variété et sa complexité, de taille infinitésimale mais d'influence gigantesque, notre biochimie maintient l'homéostasie de notre santé et du sentiment appelé bonheur.

Comme nous l'avons examiné au chapitre un, dans la théorie du cerveau holographique du Dr. Karl Pribram, le champ énergétique cérébral est semblable à une caméra à trois dimensions, recevant les informations sous forme d'images. Observez attentivement un objet en face de vous, puis fermez les yeux et imaginez le. Votre cerveau reçoit des informations visuelles et les enregistre dans sa mémoire. Voilà deux exemples qui montrent comment le champ énergétique biochimique du cerveau conserve une image holographique.

Souvenez-vous également que cette image n'est pas seulement la perception et la mémorisation visuelles des objets en face de vous, mais bien plus encore. Elle est multi-sensorielle, enregistrant simultanément les sons, les impressions, les goûts et les odeurs qui s'y associent, pour créer ce que l'on appelle la sensation. Ensuite, cette sensation cérébrale multi-sensorielle est enregistrée afin d'être stockée dans la mémoire et dans la conscience.

Puis, la vie poursuivant son cours, la conscience, ainsi constituée, interfère dans les sensations présentes pour en déterminer notre image multi-sensorielle, nos perceptions du moment, nos croyances et nos attitudes face à la vie.

Mais, qu'est-ce qui pousse ce flux à se diriger vers ce que nous appelons sensation de santé et conscience du bonheur ?
Dans le chapitre quatre, nous avons appris, selon la théorie d'Ilya Prigogine, que la vie se définit par le changement. D'après son point de vue qui, à la fois inclut le fonctionnement du corps et le dépasse, la nature toute entière est un processus qui se déplace d'états statiques vers des formes en devenir. La vie est donc, malgré les apparences, davantage qu'un simple moment figé. A chaque instant, notre être est en constant devenir.

Notre propre exploration à travers les courants de la conscience bioélectrique nous aide à comprendre cette théorie simple et cependant d'apparence complexe. Le cours du temps s'écoule du passé, en traversant le présent, pour atteindre le futur, qui, à son tour devient présent, puis passé et ainsi de suite, éternellement. D'après notre conception consciente du temps, la réalité est composée à la fois d'être et de devenir qui se combinent pour refléter la sensation et la conscience que l'on a du jour présent. L'être et le devenir sont tous deux nécessaires. Notre état d'aujourd'hui est un produit de notre état d'hier s'écoulant vers son devenir. Si l'être est privé du devenir, le futur ne sera alors qu'une version appauvrie, affadie du présent. Si le devenir est privé d'existence, alors, d'une manière ou d'une autre, la conscience du présent est perdue. Semblables aux systèmes parasympathique et sympathique, l'être et le devenir s'associent, pour s'équilibrer, pour nous permettre d'acquérir chaque jour une meilleure qualité de vie.

La biochimie cérébrale obéit au même schéma, à la différence que le temps se mesure en secondes et non pas en jours. Notre sensation d'exister au moment présent résulte du devenir du moment passé. Dans quelques secondes, notre existence sera à nouveau en train de changer. Ainsi, la biochimie électrique du cerveau sous-tend la sensation et la conscience perpétuelles que nous appelons Vie. Examinons comment cette évolution d'un état d'être à celui de devenir peut optimiser notre santé et notre bonheur.

Nous avons exploré le monde des scientifiques dans leurs laboratoires. Des rats vivant dans des cages qui ont été enrichies par un environnement social changeant, vivent plus longtemps, demeurent plus actifs et ont une croissance cérébrale reflétant leur environnement. Dans le cerveau de ces rats, les dendrites ont des ramifications plus denses, qui interagissent les unes avec les autres pour déclencher les synapses potentiellement euphorisantes. Ce flux biochimique électrique continuel est le support de toutes les activités cérébrales.

Nous avons appris comment, dans le cadre d'un laboratoire, l'enrichissement affecte la croissance des dendrites et le flux bioélectrique de la vie. Nous avons découvert les nombreux aspects de la recherche sur les Endorphines et nous avons envisagé la manière dont nous pourrions appliquer nos connaissances à notre propre santé et à notre vie. A présent que les différentes pièces du puzzle s'assemblent logiquement, élargissons ce concept d'enrichissement au-delà d'une cage pleine de nouveaux jouets.

En quoi consiste en fait cet enrichissement qui s'avère si bénéfique pour notre cerveau, la croissance de nos dendrites, notre propre flux biochimique qui soutient notre vie ? Et, qu'en est-il de cette famille appelée Endorphines ? D'une certaine façon, l'environnement dans lequel nous vivons et que nous percevons, peut enrichir le flux des Endorphines. Mais comment ?

Une expérience de guérison

Commençons par définir ce que pourrait être notre propre enrichissement. Pour illustrer cela, nous vous présentons l'histoire d'un homme qui, par sa propre expérience, a su recouvrer la santé et améliorer sa qualité de vie. Dans son livre *The Anatomy of An Illness* (L'Autopsie d'Une Maladie), qui est récemment devenu un feuilleton télévisé, Norman Cousins raconte comment il fut atteint d'une maladie mortelle assez rare appelée collagénose. Il fut accablé d'apprendre que sa maladie était incurable, qu'elle avait atteint sa phase terminale et qu'elle continuerait à provoquer des douleurs atroces et une immobilité insupportable.

Cependant, étant un homme réfléchi et cultivé, Norman Cousins commença à méditer sérieusement sur sa situation. Tout d'abord, il se demanda quelles pouvaient être les causes de sa maladie. Il se souvint qu'avant et pendant l'apparition des premiers symptômes, il avait dû subir une situation de stress-détresse considérable. Sa propre sensation d'impuissance à faire évoluer le problème et le profond découragement qui en résulta, constituèrent un facteur important dans cette situation de stress négatif. Ainsi que le journal « Science » l'a décrit, des chercheurs à la Faculté de Médecine de Harvard ont montré que des rats, soumis à des facteurs stressants similaires, sans en avoir d'aucune façon le contrôle, présentaient des signes de changements biochimiques qui indiquaient leur vulnérabilité face à la maladie.

Norman Cousins se demanda si ce profond sentiment de découragement constituait un agent clé permettant à la maladie de s'amorcer et de se consolider au détriment de sa vie. Il lui parut de plus en plus évident que force immunitaire et croyances personnelles sont très intimement liées. Cette recherche est rapportée dans un article de Lois Wingerson, intitulé « Training the Mind to Heal ».

Dans le cadre de cette nouvelle sous-spécialité, la psycho-neuro-immunologie, Robert Ader, professeur de psychiatrie à l'Université de Rochester, à New-York, a présenté des données montrant que les informations cérébrales affluent pratiquement instantanément dans le système immunitaire, qui ensuite, affecte l'équilibre hormonal ainsi que la création, l'émission et l'action consécutives de nombreux types de systèmes sous-tendant la vie. Le fait de croire apporte au cerveau des informations, qui, comme nous le savons, agissent sur le courant bioélectrique tendant à maintenir la santé.

Norman Cousins avait pris conscience de son profond découragement. Se sentant incapable de modifier la situation, il s'était alors installé dans cette perception négative. Si de telles croyances négatives contribuaient au développement de sa maladie, un changement de perception de son état et une conviction positive de sa propre volonté de vivre, ne pourraient-ils pas, a contrario, l'aider à transformer le processus de la maladie en processus salutaire ?

Norman Cousins sentit que cette question était cruciale, et que, pour y trouver une réponse, il lui fallait déployer des efforts personnels conscients et tenter ses propres expériences. Sollicitant l'aide de son médecin, Norman Cousins exposa un programme qui pouvait renforcer ses chances de guérison. Bien que son médecin n'approuvât pas ce programme dans tous ses détails, il savait que sa seule chance de vivre dépendait de son engagement personnel et de la fermeté de sa volonté.

Dans son livre, qui mérite une lecture réfléchie, Norman Cousins décrit son programme en détail. Nombre de facteurs de ce plan conduisent en définitive à la guérison et à un changement de vie. Nous rappellerons quelques aspects de son programme qui coïncident avec les idées explorées jusqu'alors en matière d'Endorphines.

Dans son effort à renforcer une attitude positive, Norman Cousins décida d'essayer l'utilisation consciente du rire. Il lut des livres drôles, regarda des dessins animés et un nombre incalculable de films comiques. Par un changement conscient de perception, Norman Cousins s'encouragea à rire à gorge déployée à chaque gag, même le plus idiot. Et, il ne se contentait pas de sourire ou de ricaner. Au contraire, il investissait son corps tout entier dans son rire. A sa grande surprise et à son immense joie, Norman Cousins constata que dix minutes d'un rire intense produisait un effet anesthésiant. Ce dernier se prolongeait ensuite pendant deux heures, lui permettant ainsi de dormir sans ressentir de douleur. Quand la douleur réapparaissait, il se jouait alors son propre « cinéma » pour se libérer à nouveau de la souffrance.

En fait, il n'était auparavant jamais parvenu à se débarrasser de la douleur qui le torturait pendant son sommeil, même par l'absorption de doses fréquentes et élevées de Démerol, ce narcotique opiacé puissant que lui avait prescrit son médecin. Le rire aurait-il une action égale, sinon supérieure, à celle du Démerol ? Voilà la clé des Endorphines. Le rire pourrait-il véritablement libérer les substances biochimiques anesthésiantes naturelles que le Démerol reproduit ?

Rire et émotions positives

L'une des thérapies soulageant la douleur, utilisée de nos jours dans les cliniques et les hôpitaux, consiste à recourir au protoxyde d'azote ou « gaz hilarant ». On a essayé une nouvelle application de ce traitement sur des patients atteints de cancer en phase terminale. Les résultats nous permettent de mieux comprendre l'efficacité du gaz hilarant. D'après un article du « United Press International » de Juillet 1983, un patient déclara que « pour la première fois depuis des mois », il avait été délivré de la douleur, et ce, grâce au protoxyde d'azote.

Tandis que la douleur, l'anxiété et la nervosité diminuent, le protoxyde d'azote stimule également l'appétit, améliore l'humeur et la capacité à communiquer. Ces indices laissent supposer que le protoxyde d'azote, grâce à un certain mécanisme du rire, pourrait bien déclencher les Endorphines.

Le Dr. Avram Goldstein de l'Université de Stanford suggéra l'hypothèse d'un lien entre les Endorphines et le rire. (C'est lui qui conçut l'action des serrures/sites récepteurs des opiacés et des Endorphines.)

Dans le livre *Laugh After Laugh*, le Dr. Raymond A. Moody démontre le potentiel de guérison inhérent au rire et à l'humour. Il cite de nombreux exemples dans lesquels une démarche humoristique fit diminuer la douleur, constitua un moyen de sortir de la dépression et du manque, et un adjuvant au renforcement des mécanismes inhérents de guérison.

Il est intéressant de noter que, dans nombre de ses écrits précédant la découverte des Endorphines, le Dr. Moody annonçait ce qui devait bientôt se trouver confirmé par l'identification d'un mécanisme biochimique physiologique. En décrivant l'amélioration obtenue par le rire au niveau des sensations, il confirme que des substances biochimiques (incluant les Endorphines) ou la combinaison de certaines d'entre elles, sont induites par le rire et constituent un potentiel puissant pour la biochimie qui nous transmet une sensation de bien-être et de qualité.

Le Dr. Moody observe que la santé et la guérison sont facilitées de façon notable et régulière par un type spécial d'attitude. Il s'agit de porter sur nous-même, notre entourage et le monde entier un regard plein d'humour. Les chances de recouvrer la santé sont accrues si le malade considère la vie sous un angle humoristique, tout en gardant un point de vue positif, aimable et respectueux envers lui-même et les autres.

Cette attitude implique une biochimie équilibrée, une vision juste de son propre état et des personnes et événements ayant une influence sur cet état. Une telle attitude suppose des taux d'Endorphines élevés qui fournissent leur aide grâce à la « sensation comique » ou d'euphorie, également liée à la force immunitaire et à la guérison.

Par cette vision humoristique du monde que procure le rire, Norman Cousins commença à renforcer sa conviction positive

face à la vie. Puis, progressivement, grâce à des mois d'entraînement acharné visant à accroître sa résistance physique, en
observant un régime alimentaire amélioré et, continuant de rire,
Norman Cousins appliqua sa foi renouvelée pour répondre aux
exigences de son corps. Bien évidemment, il sortit vainqueur du
combat contre la maladie.

Norman Cousins vit toujours. Il a retrouvé une santé et une
activité normales; les sombres diagnostics des médecins qui lui
avaient prédit une fin prochaine ne sont plus à présent qu'un
mauvais souvenir.

Galen Clark avait simplement décidé de retrouver, avant de
mourir, une communion avec un environnement plein de beauté.
Norman Cousins s'était engagé consciemment dans un programme thérapeutique qui lui permit de changer la perception
intérieure de son environnement. Ces deux histoires nous permettent de mieux saisir la notion d'enrichissement. Elles nous
présentent deux hommes suffisamment courageux pour agir sur
une situation de stress-détresse et de la transformer ainsi en
stress positif euphorique.

Les ressorts de la négativité

Ces deux histoires soulignent le rôle primordial d'une
croyance positive, d'une aspiration au bonheur, en dépit et
au-delà de cette cage de solitude apparente que représentent le
stress-détresse et la maladie grave. Alors que nous cherchons
une aide extérieure, n'oublions pas que le potentiel biochimique
du plaisir et du bonheur existe, ô ironie du sort, dans la réalité
des Endorphines, et que ce potentiel euphorisant et anesthésiant
afflue naturellement à travers notre structure biochimique.
Pourquoi ne sommes-nous pas toujours heureux ? Qu'est-ce qui
nous en empêche ? Cet état reflète-t-il un déséquilibre biochimique qui, d'une certaine façon peut être corrigé au sein du courant
bioélectrique de la conscience ? Une conscience, une attitude ou
une perception négatives peuvent en réalité faire obstacle à la
santé ou bloquer le flux des substances biochimiques sous-tendant la santé, comme par exemple les Endorphines.

Comment se fait-il que nous puissions alors dépasser et contourner des blocages qui font obstacle au courant de la conscience, qui paraissent émerger au niveau des perceptions et sur lesquels semblent reposer les sentiments de stress-détresse conduisant à la maladie ?

Afin de répondre à cette question, réfléchissons à la manière dont nous commençons notre expérience de la vie, et comment se développent nos réactions et nos opinions face à cette expérience. Nous développons des habitudes, des attitudes et des perceptions en réaction à un environnement qui, à ce moment-là, semble être statique. Ceci est spécialement vrai quand l'environnement est perçu comme inconfortable, décourageant ou menaçant. Pendant cette période de stress-détresse, nous sommes amenés à manifester une réaction qui paraît alors être la mieux appropriée et la plus utile. Mais ensuite cette habitude biochimique se grave dans les processus bioélectriques de notre être.

La vie change à nouveau, la sensation de menace disparaît de notre environnement, mais la réaction, elle, demeure. De cette façon, nous sommes amenés à croire que notre perception de la vie renferme LA seule et unique réalité de notre monde. Et cependant, tout autour de nous, d'autres personnes réagissent et perçoivent ce même flux ou cette même sensation de manière différente. Le courant suit son cours, mais nous, qui sommes toujours embourbés dans notre propre réaction à cette menace antérieure, accrochés à une branche du passé, ne percevons pas le courant présent et son réel potentiel. Nos réactions bioélectriques négatives d'hier sont tellement ancrées en nous, que nous sommes incapables de percevoir la véritable réalité d'aujourd'hui. Notre réaction face à ce qui semble nous menacer cristallise notre perception de la vie; elle peut entraver la croissance et la ramification des dendrites du cerveau et faire stagner le courant du potentiel cérébral.

Osez vous dépasser !

Voici un autre exemple de rétablissement et de guérison qu'illustre l'histoire de Herbert Howe qui mit au point une manière de vaincre cette terrible maladie du cancer des os, en phase terminale, et sa sensation de détresse.

Dans son autobiographie, intitulée *Do Not Go Gentle* (Ne vous
ménagez pas), Herbert Howe décrit son propre programme
d'interaction avec la vie qui permet d'enrichir un environnement
plongé dans l'affliction et la maladie. Herbert Howe était un
athlète, assidu de la course et du football. Une petite protubé-
rance s'était développée sur son poignet et commençait à le faire
souffrir. Après une biopsie, son médecin et lui-même furent
stupéfaits et bouleversés d'apprendre que cette tumeur était
maligne. En fait, il avait un cancer, si rare, que dans l'histoire
de la médecine, on en avait observé moins d'une centaine de cas.
Pour Herbert Howe, cette situation semblait catastrophique. Ce
type de cancer présentant un pourcentage élevé de mortalité
dans un délai de cinq ans, rendait le diagnostic particulièrement
accablant. Mais, Herbert Howe était jeune étudiant à l'Université et souhaitait avoir suffisamment de temps pour achever sa
thèse, trouver une bonne situation, se marier et fonder une
famille.

Comme le firent tous deux Galen Clark et Norman Cousins,
Herbert Howe se mit à réfléchir sur l'étiologie de sa situation.
Il résolut d'entreprendre individuellement une action combative
contre les processus de maladie et de détresse. Il avait toujours
été actif et sportif. Lorsque ses amis lui suggérèrent de continuer
à pratiquer ses passe-temps, il se dit que, puisque le sport ne
pouvait guérir le cancer, au moins aurait-il une vie plus agréable.
Ainsi, il poursuivit et intensifia son entraînement en pratiquant
le football, la course, le squash et la natation.

De plus, il décida de se conformer aux traitements prescrits
par ses médecins. Ce qui signifie qu'il dut l'année suivante subir
également les effets douloureux de la chimiothérapie et de la
radiothérapie.

Ainsi que l'indique le titre de son livre, Herbert Howe demeura
stoïque et ne s'avoua pas vaincu face aux immenses sentiments
de détresse et de malaise qu'il éprouvait alors. Il se concentra
simplement sur la manière de continuer à mener une existence
normale malgré le cancer. En dépit de très fortes nausées et
d'une faiblesse extrême, il nageait, courait dès qu'il le pouvait.
Il en résulta une nette amélioration tant au niveau physique,

émotionnel que mental. Aussi longtemps qu'il le put, il poursuivit son travail et ses fonctions universitaires.

Il raconte comment il se sentait envahi par le découragement et l'impuissance à contrôler ses réactions de détresse face aux symptômes de la maladie. Mais, au fur et à mesure que les semaines passaient, il continua, autant que possible, de maintenir son programme sportif intensif. Bien qu'il ne pût toujours maîtriser ses sentiments de découragement total, il ne baissa jamais les bras, convaincu que les personnes combatives avaient de meilleures chances de gagner.

Un jour, Herbert Howe commença à se demander si son programme sportif n'était pas, en réalité, en train de faire diminuer sa sensation de détresse. Tandis qu'il améliorait ses réactions face au stress négatif, à Rome, les scientifiques travaillaient sur des études démontrant que l'exercice physique favorise l'émission d'Endorphines-Béta et de l'ACTH, ces hormones dont on connaît à présent l'action conjuguée contribuant à maintenir la santé.

D'après le journal européen « Experimentia », cette étude, qui utilisa des sujets humains au lieu de cobayes, fit apparaître de fortes augmentations de ces deux hormones, spécialement lors d'efforts physiques maximum. Les auteurs de cette expérience laissèrent aux autres le soin de spéculer sur les répercussions physiologiques que cela pourrait entraîner. Mais, pour en revenir à l'histoire de Herbert Howe, nous pouvons utiliser cet exemple pour réfléchir à la signification de ces informations sur la pratique sportive, l'ACTH, les Endorphines et la guérison.

Quand, à cause de ses régimes thérapeutiques, Herbert Howe se vit dans l'incapacité de terminer sa thèse de doctorat qui lui tenait tant à coeur, il ressentit le besoin de confirmer sa propre confiance en lui-même et son aptitude innée à vaincre les obstacles. Se souvenant du sentiment d'accomplissement qu'il avait éprouvé en terminant une course de canoe, il commença un entraînement encore plus rigoureux afin de se préparer à concourir à nouveau lors de cette même compétition.

Tout en décrivant ces mois d'épreuves physiques extrêmes, Herbert Howe raconte les évolutions progressives dans la perception qu'il a de lui-même, ses réalisations, sa faculté à s'adapter aux changements apparemment négatifs, et ses convictions sur le sens de la vie. Dans sa jeunesse, Herbert Howe considérait le sport sous un angle compétitif. Mais, du fait de sa maladie, sa conception du sport se transforma en batailles à mener contre les défis de la chimiothérapie et contre ses propres réactions négatives. En se préparant à cet exploit athlétique, Herbert Howe se soutenait lui-même moralement par ces entraînements en se fixant des objectifs bien définis dans le but d'améliorer sa force et sa résistance.

Il décida de participer avec un ami au marathon suivant et ils s'y préparèrent tous deux physiquement et psychologiquement. A première vue, ils savaient qu'ils n'avaient de toute façon aucune chance de gagner. Leur canoe était vieux et lourd, rien de comparable aux canoes légers et élancés qu'utilisaient les professionnels. Mais leur objectif et l'impression qu'ils avaient de leurs possibilités étaient définis à un niveau bien différent, et cela donnait tout son sens à leur entreprise. Ils effectueraient entièrement la course malgré le handicap du cancer, ils amélioreraient leur temps obtenu précédemment, en donnant à la course le maximum d'eux-mêmes, physiquement aussi bien qu'émotionnellement et mentalement.

Le jour de la course, ils furent capables de dépasser leurs propres objectifs. Après douze heures d'une course difficile, les spectateurs qui encourageaient les deux jeunes hommes à la ligne d'arrivée remarquèrent qu'ils avaient vraiment gagné dans la catégorie des amateurs. En fait, Herbert Howe et son coéquipier avaient terminé la course en gagnant deux heures sur leur temps antérieur. Et, par cette marge importante,ils avaient dépassé leurs propres espérances, en finissant la course une heure plus tôt qu'ils ne l'avaient escompté.

Herbert Howe assimila la sensation éprouvée en faisant du canoe à son changement de perception et à sa propre aptitude à réagir face au stress-détresse provoqué par la maladie et la chimiothérapie. Il survécut aux terribles prédictions du diagnostic. Mais, plus important encore, il ressentit qu'il avait acquis une nouvelle confiance en lui-même et en ses capacités croissantes.

Herbert Howe poursuivit son travail universitaire et acheva son doctorat à Harvard. Il travaille maintenant comme journaliste international.

A partir de cet exemple, nous ne voulons pas nécessairement suggérer que chacun doit adopter cette démarche pour lutter contre la maladie et le stress-détresse. La confiance positive d'Herbert Howe est intimement liée au fait qu'il a la capacité de s'accomplir en tant que super-athlète. En conclusion, Herbert Howe s'interroge sur la manière dont on pourrait appliquer sa propre expérience de guérison par le sport, à des perceptions, attitudes et modes de vie différents. D'autres activités, artisanales, musicales, artistiques ou le jardinage peuvent aider quelqu'un à vivre mieux les moments humiliants et douloureux de la maladie.

A la fin de son livre, Herbert Howe mentionne le travail des Simontons dont nous parlons au chapitre trois. Il examine leurs observations déterminantes concernant ces patients disposant d'une certaine souplesse d'esprit, qui cherchent à modifier leur propre perception de la détresse et de la maladie. Ces patients sont moins enclins à critiquer les autres personnes et leurs problèmes, ils se sentent moins abattus, deviennent ainsi plus autonomes et s'acceptent tels qu'ils sont.

L'histoire de Herbert Howe démontre de façon spectaculaire combien l'état maladif de l'être physique peut être modifié grâce au choix délibéré de maintenir une confiance positive en soi-même et d'adopter cette attitude constante qui permet de respecter un programme incluant tous les aspects de l'être humain —le corps, l'intelligence, les émotions et l'esprit.

Nous avons relaté trois histoires traitant de la guérison et d'un bonheur grandissant. Trois hommes, Galen Clark, Norman Cousins et Herbert Howe, à des époques différentes, grâce à des idées et programmes différents furent capables de continuer à vivre, d'accéder à un bonheur plus grand et de progresser par-delà leur sensation de détresse et d'emprisonnement. Ils développèrent de nouvelles perceptions d'eux-mêmes et de leurs situations. Et le flux biochimique de leur cerveau s'en trouva d'une certaine façon modifié, peut-être grâce à leurs efforts, leur volonté délibérée d'encourager la santé plutôt que la maladie, le bonheur plutôt que le désespoir et l'impuissance.

L'histoire d'Herbert Howe est l'exemple d'un homme qui a appris à déclencher les Endorphines. Il constata, pendant tout le temps qu'il consacra à essayer de changer sa vie, que son corps renforçait ses choix et commençait à réagir en retrouvant une nouvelle vitalité.

Dans un article du journal « Perspectives in Biology and Medicine », le Dr. Daniel Carr suppose que les Endorphines renforcent et confirment d'une certaine manière « un comportement aux objectifs clairement définis ». La victoire d'Herbert Howe illustre bien cette idée. Est-il possible que, grâce à ce type de mécanisme biochimique, les Endorphines renforcent notre santé ? Nous pouvons certainement observer de quelle manière les Endorphines renforcent les types de comportement que l'on sait être salutaires, tels que la pratique régulière d'une activité physique, une alimentation saine, le respect du sommeil et l'accroissement de notre aptitude à faire face au stress.

Cependant, comme nous le savons, les Endorphines peuvent également, de par nos liens au passé, renforcer un comportement qui pourrait s'avérer préjudiciable à notre santé.

Cette idée est également décrite dans un récent article paru dans le journal autogéré « Rx Being Well ». Le Dr. James P. Carter explique que les Endorphines peuvent effectivement constituer un des renforcements biochimiques de nos habitudes néfastes. Quand nous sommes dépendants de compulsions acquises, comme la consommation de nicotine et d'alcool, l'imprudence au volant, les veilles prolongées ou un mode de vie sédentaire, ce sont les Endorphines qui jouent un rôle dans l'enchaînement à nos choix néfastes ou dans leur renforcement. Dans ce cas, notre biochimie électrique nous signale le mauvais état de notre santé à travers les impératifs biochimiques nous poussant à adopter des comportements contraires à la raison.

Bienvenue au changement

Dites-vous qu'un environnement enrichi, propice à la santé et à l'épanouissement de la vie, inclut une vision du monde ouverte et favorable au changement. Nous savons que ce dernier constitue un stimulus qui déclenche une réaction des Endorphines. Nous aspirons au changement pour la joie qu'il procure. Nous aimons courir les magasins pour acheter de nouveaux objets, une voiture neuve, une moto ou un bateau. Chez nous, nous aimons changer la disposition du mobilier ou les papiers peints. Nous recherchons de nouveaux lieux de détente et aimons découvrir de nouveaux restaurants. Nous en éprouvons une sensation de fraîcheur et apprécions même de prévoir les changements en feuilletant par exemple des catalogues ou des livres de voyage. Mais cette anticipation du changement correspond-elle toujours à une réaction bénéfique et euphorique ?

La réponse à cette question dépend de notre propre perception individuelle du changement. Comme nous l'avons mentionné plus haut, les rats enrichis n'étaient pas pré-conditionnés à percevoir l'évolution de leur environnement comme une menace. Ils ont tout simplement bénéficié d'une interaction avec leurs nouveaux jouets.

Mais notre vie est plus complexe. Nous avons appris à aimer, à créer des liens affectifs, à trouver le bonheur dans certains lieux, certaines choses et certains états habituels. Un changement qui signifie la perte de ce que nous chérissons ou ce à quoi nous nous accrochons, pourrait ne pas sembler bénéfique. Ce type de perte provoquée par le changement pourrait paraître menaçant et créer un environnement néfaste plutôt qu'enrichissant.

Comme nous l'avons découvert auparavant, un changement peut être interprété en termes biochimiques par le cerveau reptilien et la couche limbique inconsciente comme un signal de rejet ou de défaite. Ainsi, à cette perte, peuvent correspondre une chute biochimique des défenses immunitaires, une perception biochimique qui ouvre grand les portes à des processus morbides, à des infections importantes, voire au cancer. Ou bien notre organisme produit une sur-compensation biochimique face au changement et à la perte, en construisant une défense immunitaire sur-active. Comme nous l'avons vu au chapitre trois, l'arthrite a été rapprochée d'une réaction biochimique superactive.

Des données scientifiques concernant la réaction humaine au changement, ont révélé qu'une surabondance de changements peut être stressante au point de déclencher des processus morbides menaçant la vie. Cependant, des changements importants ne sont pas nécessairement tristes, ils n'impliquent pas obligatoirement une perte; l'achat d'une maison ou une promotion professionnelle, qui apparaissent agréables, peuvent en réalité représenter un danger pour la santé. Le facteur clé dans ces études sur le changement est le concept d'excès.

Un bon changement peut être tonifiant, un mauvais toléré par la raison. Mais plusieurs changements d'un seul coup, qu'ils soient bons ou mauvais, ou un changement immense, telle que la perte d'un conjoint, sont parfois suffisants pour provoquer un état de stress-détresse considérable conduisant à la maladie.

Vous avez sans doute remarqué que souvent dans un couple, marié depuis longtemps et heureux, quand l'un meurt, l'autre s'éteint peu de temps après. Le sens commun dit que c'est le chagrin qui l'a tué. A présent, la découverte scientifique de la biochimie cérébrale confirme cette observation courante. Les Endorphines sont impliquées d'une certaine façon dans le processus d'amour et d'attachement affectif. La perte effective, ou perçue en tant que telle, d'un amour peut provoquer un sentiment excessif de stress-détresse qui fait apparaître un déséquilibre des Endorphines et produit une baisse immunitaire conduisant à une maladie grave ou à la mort.

Nous savons que, par l'action de nos puissantes Endorphines, une perte biochimique quelconque peut provoquer la sensation de douleur et de détresse. Par les liens affectifs euphoriques et par l'amour qui règne au sein d'un ménage uni, une personne peut devenir biochimiquement dépendante de la présence du conjoint. Il se peut que nous souffrions d'accoutumance aux conditions qui nous rendent heureux, à notre propre sensation d'être aimé. Mais cet amour n'est pas seulement émotionnel ou psychologique. L'amour est une perception impliquant la physiologie, un attachement biochimique et bioélectrique. C'est l'euphorie que nous ressentons pendant les moments de plaisir avec les personnes aimées, ou quand nous éprouvons un sentiment indicible de communion avec la vie elle-même.

Nous sommes souvent confortés par une régularité apparente de la vie. Nous jouissons de la sécurité d'un rythme qui reflète cette perception. Mais, la vie suit son cours, et les changements surviennent inévitablement, grands ou petits, bouleversants ou bénéfiques, s'ajoutant au stress qui apporte éventuellement un stress-détresse, d'origine non seulement émotionnelle ou purement psychologique, mais provenant de notre physiologie biochimique mettant alors notre vie en danger. Au lieu de nous inquiéter et de nous imaginer que ces moments, ces jours et ces années de changement menacent, d'une manière ou d'une autre, de nous apporter calamité et problèmes inconnus, nous pouvons les envisager au contraire comme la stimulation vitale permanente nous emportant sur les chemins de l'épanouissement et du devenir.

Il se peut que nous anticipions sur les événements en craignant qu'ils ne nous apportent ce que nous voulons éviter. Nous essayons même d'en contrôler les résultats potentiellement négatifs, nous protégeant contre l'éventualité d'un malheur imminent. Mais nous ne pourrons préparer efficacement ce moment futur que si notre conscience actuelle est en mesure de réagir de façon réceptive, sans être bloquée par des préoccupations constantes concernant le passé ou l'avenir.

Si nous ne nous concentrons que sur le passé ou l'avenir, nous pouvons fausser notre perception qui, biochimiquement, déforme alors la réalité présente. Et nous perdons alors le bénéfice d'une interaction avec le présent qui nous permettrait d'aller vers notre devenir.

Le Dr. Neil Fiore, psychologue en matière de gestion de stress, que nous avons rencontré dans les chapitres précédents, a expliqué que c'est en ayant conscience que notre corps et notre être détiennent la capacité d'affronter efficacement les changements perpétuels susceptibles de survenir, que notre mécanisme de lutte, le meilleur et le seul véritable, peut alors se déployer. Il nous rappelle que nous sommes ainsi conçus.

Un rappel des découvertes sur les Endorphines nous aide à comprendre ces phénomènes. De puissantes substances biochimiques cérébrales, prêtes à faire face au stress causé par les changements, bons ou mauvais, nous aident à vivre réellement dans le présent, les situations en cours de défi et de joie.

Lorsque nous sommes déprimés ou nous sentons inéluctablement enfermés dans une manière d'être, nous nous demandons comment provoquer en nous un changement, qui nous permette de sortir de cette ornière. Parfois, nous nous sentons tellement prisonniers de nous-mêmes que nous subissons les cycles vicieux de sensations répétitives qui nous confinent dans des impasses, pendant des années, voire toute une vie. Ces positions de retranchement ne seraient cependant pas les labyrinthes sans issue qu'elles semblent être.

Cette idée a été illustrée par un exemple présenté par Richard Kimball, spécialiste de psychologie sociale. Il pratique une méthode thérapeutique remarquable qui consiste à utiliser le stress causé par le risque et la réaction correspondante au changement. Au Nouveau Mexique, dans le Centre de réhabilitation criminelle de Santa Fe Mountain, le Dr. Kimball assiste des patients qui sont pour la plupart des criminels, violeurs, bourreaux d'enfants, voleurs à main armée, anciens toxicomanes, prostituées et jeunes délinquants. Dans son programme thérapeutique, Le Dr. Kimball organise des expéditions d'escalade sur des montagnes abruptes, confrontant ainsi ses patients à la terrible nécessité de risquer leur vie. A travers ce processus, des hommes et des femmes, qui avaient jusqu'alors limité leur bonheur au malheur des autres ou d'eux-mêmes, ont la chance de se tourner vers un nouveau devenir.

Dans une interview pour le magazine « People », Kimball explique que ce risque imposé produit potentiellement une croissance qui n'apparaîtrait jamais si ses patients demeuraient dans un environnement confortable et rassurant.

En escaladant en hiver les flancs abrupts d'une montagne, un homme eut la révélation de ce qu'était sa vie. Grâce aux sensations éprouvées lors de cette ascension, il prit conscience qu'il n'était pas seulement un bourreau d'enfant, mais un homme capable d'affronter ses problèmes en ayant le sentiment de sa propre valeur.

Peut-être cet homme trouva-t-il une nouvelle façon de déclencher les Endorphines par la réaction au stress. Il fut capable d'inverser un comportement criminel acquis et de le transformer en sentiment de bien-être émanant d'une sensation positive d'accomplissement, de réussite que les criminels ont rarement la chance de connaître.

Nous ne sommes pas enfermés dans un comportement, ni dans un équilibre biochimique qui sous-tend ce même comportement en renforçant de façon euphorisante son action. Dans le cas de ce criminel, les risques encourus sur le plan physique, mental et émotionnel, imposés pour favoriser un dépassement de soi, modifièrent un comportement physique qui avait été induit par des déviations mentales et émotionnelles. Une réaction des Endorphines face au stress provoqué par le changement, a pu participer au processus de transformation menant un être affligé vers l'épanouissement et le devenir.

Une solution au conflit

Nous avons peut-être été amenés à nous considérer comme des êtres figés, déjà façonnés par les événements et les gens, installés maintenant, telles des statues de marbre ou de béton, immobiles, insensibles au flux subtil du changement. Ou bien nous nous sentons prisonniers d'une ornière qui semble se rétrécir, se creuser, réduisant toute sensation de vie à l'ennui et au manque de possibilités. Ainsi, nous éprouvons peut-être le désir impérieux de transformer notre vie terne et monotone grâce à un raz-de-marée de changements qui viendrait la nettoyer.

Comment se fait-il que ce flux permanent de substances
biochimiques, offrant un potentiel infini nous permettant d'enrichir notre expérience de la vie, puisse refléter les états d'aliénation dans lesquels nous nous trouvons ?

Rappelez-vous la théorie du cerveau holographique de Karl
Pribram évoquée au chapitre un. Notre cerveau abrite des
images multi-sensorielles qui sont maintenues par notre propre
bioélectricité individuelle. Notre sentiment de la réalité est
modelé et re-modelé au niveau cérébral par ces images multi-
sensorielles et par leur potentiel à être transformées. D'après
cette théorie, les produits de notre esprit—nos pensées, perceptions, attitudes, sensations, réactions, opinions et jugements—
colorent notre perception de la réalité, de l'environnement dans
lequel nous évoluons, et nos propres réactions face à cette réalité
individuelle.

Selon cette théorie, nous pouvons modifier notre définition du
terme « stress ». Le stress est une réalité que nos images
multi-sensorielles perçoivent. De ce fait, nous ressentons le défi,
peut-être le risque ou le conflit. Notre perception de l'environnement peut faire apparaître un facteur stressant. C'est à travers
les images que le cerveau enregistre, que l'on peut ressentir le
potentiel d'un conflit ou d'une lutte.

D'après cette interprétation du stress, le stress-détresse peut
être défini comme étant le résultat de ces mêmes images enté-
rinant le conflit. D'une certaine façon, l'impression d'être emprisonné définit la sensation de stress-détresse, comme si la situation à affronter ne paraissait présenter aucune issue possible. Il
se peut que cette image de l'emprisonnement reflète une inadaptation ou une limitation acquises antérieurement. Ou bien,
il semble que l'on ait essayé toutes les issues connues, et qu'il n'y
ait aucune échappatoire à ce conflit que perçoivent les images
bioélectriques au sein du cerveau.

Ces images reflétant le stress-détresse représentent en fait un
des premiers messages que notre cerveau décode avant qu'un
processus morbide ne s'amorce. Une fois enregistrées par le
cerveau, elles constituent sans doute le code biochimique qui met

en oeuvre la réaction immunitaire, et provoquent une réaction excessive ou une absence de réaction. Comme nous l'avons noté plus haut, des réactions immunitaires trop ou insuffisamment actives peuvent conduire à la maladie en rompant l'équilibre de la santé. Pendant la maladie, notre corps, comme nos images cérébrales, sont prisonniers d'un état qui semble sans issue. La maladie s'apparente à une stagnation. Etre malade, c'est se trouver coupé du flux de la guérison.

Mais, ainsi que nous l'a rappelé Hans Seyle, il existe une autre catégorie de stress. Ce stress, exaltant et euphorisant, permet, grâce à son immense potentiel d'action de résoudre réellement le conflit exprimé dans les images négatives du cerveau. D'une certaine manière, à l'intérieur de cette prison conflictuelle, les images négatives par lesquelles on se restreint soi-même, se trouvent réorientées et se transforment en images de liberté; c'est l'état appelé « stress-euphorique » qui semble être induit par la bioélectricité des Endorphines euphorisantes. Norman Cousins utilisa le rire, Galen Clark une communion avec la beauté de la nature. Herbert Howe poussa son corps au maximum de ses possibilités. Un criminel risqua sa vie sur les sommets enneigés d'une montagne. Tous trouvèrent une manière de se risquer sur les cimes du dépassement de soi et de résoudre leurs conflits. Tous furent capables de provoquer l'étincelle bioélectrique qui sauva leur vie. Peut-être, dans tous ces cas, les Endorphines affluèrent-elles en un jaillissement nouveau, afin de renforcer de nouveaux choix et de restaurer la santé, à la fois physiquement et psychologiquement.

Les amateurs de risque provoquent la réaction de leurs Endorphines en mettant leur vie en danger. Le risque, quand il vise un dépassement physique, émotionnel, mental et même spirituel constitue un stimulus similaire, mais moins dangereux pour la vie. La perception d'une menace est souvent présente, empêchant bon nombre de personnes, pendant des années ou toute une vie peut-être, de prendre le risque de changer. Mais nous, qui avons appris comment provoquer des manifestations biochimiques euphorisantes grâce à la présence des Endorphines, pouvons nous sentir enclins à courir le risque qui nous permettra d'évoluer à l'occasion de situations qui nous mettent au défi. Nous serons peut-être plus décidés à rechercher de nouvelles réponses, comme Norman Cousins, ou de développer nos potentialités, comme Herbert Howe. Nous aspirerons peut-être à un nouvel enrichissement à l'intérieur de la cage apparente que constitue notre vie. Comme Galen Clark, nous déciderons peut-être de faire un bond dans notre conscience; de dire OUI, avec le Dr. Prigogine, au chaos potentiel du changement intérieur en ayant confiance dans le résultat qui aboutira à une transformation plus complète de notre être.

La nature nous enseigne cette vision de la vie. Un arbre attend que les saisons décident du cours de sa croissance. Nous sommes également un produit du processus évolutif de la nature; nous sommes des êtres uniques conçus pour choisir. Nous pouvons choisir de quelle manière les changements de saison et les cycles de la vie nous affecteront.

Diversifiez vos joies

Rappelez-vous la cage du laboratoire, cette prison pour animaux solitaires qui fut enrichie grâce à l'expérimentation d'un changement d'environnement. De la même façon, l'étau que représente le stress-détresse peut, en se désserrant, produire un enrichissement grâce à des images de changement ou de nouveauté provoquant ainsi le processus de stress positif.

Mais quelles sont les images qui peuvent provoquer dans notre biochimie cérébrale un changement d'attitude ou de perception ?

Peut-être en recevant physiquement un nouveau flux d'enrichissement ou de stress positif grâce à une prise de conscience de notre aptitude à apprécier la vie, aptitude perçue et confirmée par le canal de nos cinq sens. Celui-ci constitue le véritable puits des stimulations vitales déclenchant notre euphorie du moment.

Dans son livre *The Tangled Wing, Biological Constraints on the Human Spirit*, Melvin Konner, biologiste et anthropologue à l'Université de Harvard, rapporte un cas qui démontre la puissance de l'appréciation sensorielle. Un chimpanzé mâle fut l'objet d'une étude dans le parc national de Tanzanie. On avait suivi le chimpanzé jusqu'à une cascade très impressionnante, d'une dizaine de mètres de haut, de laquelle s'élevait une brume irisée illuminant la forêt tropicale. Au bord de l'eau, le chimpanzé s'arrêta et attendit, sans raison apparente, si ce n'est pour contempler la beauté du lieu.

Puis, il s'agita, poussant des cris, s'esclaffant, courant dans tous les sens et frappant les arbres de ses poings. Une sorte de réaction d'extase semblait s'emparer de lui à la vue d'un spectacle aussi magnifique, car il n'y avait aucune autre explication apparente à ce comportement. Chaque jour, il se rendait auprès de cette cascade, restait à nouveau en contemplation et renouvelait ses cris de joie. Puis, on y conduisit d'autres chimpanzés. Il ne manquait pas de points d'eau aux alentours. Ils n'étaient donc pas obligés de traverser le lac pour rejoindre un autre territoire. Il semblait qu'ils succombaient simplement à la beauté du paysage, ressentant impérativement le besoin d'exprimer leur joie, en dansant et en chantant —peut-être grâce à leur propre bioélectricité qui renvoyait l'image de cette beauté naturelle.

Quelles sont les images sensorielles qui vous comblent de joie et donnent un sens à votre vie ? Les pièces d'or d'un coffre-fort brillent d'un bien pâle éclat à côté de la splendeur chatoyante du monde illuminé par les rayons du soleil radieux. Les couleurs, les textures et les formes présentent à vos yeux un spectacle d'une variété infinie dont vous pouvez vous réjouir à tout moment. Lorsque vous prenez conscience de la beauté qui vous est offerte, vous favorisez le déclenchement des Endorphines, porteuses de bonheur. La vision d'un monde merveilleux constitue, sur le plan de votre perception, une manière d'apprécier la vie qui peut alléger votre détresse et accroître votre sensation de stress euphorique.

Donnez vous les moyens de déclencher les Endorphines en prenant conscience de vos perceptions sensorielles. Chaque parfum que vous aimez peut atteindre les recoins les plus profonds de votre cerveau instinctif et embellir votre journée, en diminuant vos tracas. Les senteurs d'une pinède, de l'herbe fraîchement coupée, les embruns vivifiant de l'océan, même le simple parfum d'une fleur —que préférez-vous ? Partez à la découverte de nouveaux arômes !

Rappelez vous l'importance du goût pour la qualité de votre vie. Prenez vos repas plus lentement et délectez vous des goûts que vous avez choisis. Essayez de nouvelles saveurs et changez vos recettes de cuisine. Si vous pensez avoir trop d'embonpoint, peut-être avez-vous été un peu excessif et déclenché ainsi trop souvent et trop régulièrement vos Endorphines. Il se peut que vous ne vous rendiez pas compte qu'une promenade tonifiante ou qu'un nouveau passe-temps produisent le même type d'exaltation biochimique qu'un morceau de chocolat. Et ces nouvelles façons de vous sentir bien amélioreront votre métabolisme et vous aideront à éliminer les calories superflues.

Si vous possédez un sens aigu du toucher, des perceptions tactiles peuvent vous ravir. Des textures douces, soyeuses et rugueuses peuvent toutes aviver votre conscience. Si, auparavant aucune sensation tactile ne vous a fait frissonner, tentez d'explorer ce domaine. Un simple effleurement peut, à votre surprise, dévoiler une sensation de plaisir inattendue. Chaleur, frissonnement et massage sont des moyens thérapeutiques sensoriels tous connus pour leurs propriétés relaxantes et anesthésiantes. Ces sensations, ces messages électriques et biochimiques peuvent vous aider à alléger votre sensation de détresse et vous prodiguer une plus haute conscience du moment.

Le son, lui aussi, peut représenter un précieux instrument du bonheur. Combien de sons nous échappent-ils par manque d'attention ? Connaissez-vous le bruissement des feuilles et le murmure de la brise ? Le ruisseau qui clapote, s'écoule silencieusement ou bruyamment. Les mugissements des marées. La neige qui tombe dans un silence de plomb. Notre rire ou celui des autres constituent un flux biochimique connu qui enchante. Un oiseau s'épanouit dans son chant, offrant au monde sa musique.

Les oiseaux puisent-ils leur bonheur dans la musique qu'ils partagent ? Dans une étude fascinante publiée dans le journal « Brain Research », le Dr. Susan M. Ryan et ses collègues ont constaté que, chez un pinson, un taux élevé d'Endorphines est lié à l'activité des cordes vocales.

N'avez-vous jamais ressenti, en écoutant de la musique, un frisson déferlant le long de votre colonne vertébrale ? N'êtes-vous pas surpris que la musique puisse vous apporter tant de plaisir et vous permettre de vous relaxer ?

Le Dr. Avram Goldstein, qui a établi le lien entre le rire et les Endorphines, s'est interrogé également sur la musique et a effectué une étude démontrant que ce frissonnement indiquait des taux élevés d'Endorphines dans le corps.

Cette sensation éphémère qui jaillit le long de votre colonne vertébrale constitue un phénomène bioélectrique. Ainsi que nous l'avons appris, ce flux d'énergie a un impact profond sur notre bien-être, même lorsque la sensation s'est évaporée.

Mais, n'avez-vous jamais remarqué, que, lorsque vous essayez de réfléchir logiquement à ce phénomène, il semble que ce frisson disparaisse tout à coup comme si votre raisonnement l'avait chassé ? Peut-être existe-t-il une valve corticale de fermeture de l'intellect bloquant le flux de cette réaction qui procure bien-être et relaxation.

Cette découverte nous fournit un autre indice sur le sentiment de bien-être, vraisemblablement assisté par les Endorphines. Nous savons qu'un grand nombre de serrures/sites récepteurs des Endorphines se trouve au sein de la couche limbique émotionnelle de notre cerveau. Les points du corps sensibles au plaisir ou à la douleur réagissent, comme par exemple les oreilles, aux vibrations musicales, ou perçoivent les odeurs merveilleuses ou les goûts délicieux.

Pour jouir pleinement de la vie, en diminuant notre sensation de stress négatif et en augmentant celle de stress positif, il faut adopter une démarche qui favorise une interaction avec la vie. Si nous préférons être assis devant notre téléviseur ou dans un parc à regarder les gens passer, alors ces « activités » ne procurent guère de changement dans notre flux bioélectrique. Souvenez-vous du cobaye, seul dans sa cage, dont les voisins s'amusaient avec leurs jouets. Observer les sensations et les expériences d'autrui ne déclenche pas au niveau du cerveau la même réaction biochimique que si vous les expérimentez vous-mêmes. Les dendrites se ramifient et augmentent en réaction à nos propres attitudes d'interaction et d'expérimentation envers la vie.

Donnez-vous les moyens de déclencher les Endorphines par une activité intense et intéressante. Si vous n'êtes pas sportif ou si votre corps a perdu l'habitude de faire de l'exercice, commencez dès aujourd'hui. Il n'est pas besoin de marcher vite ni longtemps pour ressentir l'euphorie biochimique qu'un coureur perçoit après des heures de course.

Si vous êtes sportif, vous avez peut-être remarqué qu'une alimentation saine à long terme est indispensable à votre bien-être. Ou bien, votre biochimie a atteint son seuil de tolérance par rapport à une activité pratiquée, et celle-ci vous paraît à présent ennuyeuse. Essayez une autre activité —jouez au volley sur la plage, allez danser ou nager ou faites de la randonnée.

Osez commencer un nouveau loisir qui favorise une interaction avec la vie, comme la découverte de nouveaux ruisseaux et de leurs cascades. Changez d'activité physique et vous élargirez ainsi vos possibilités d'accéder à un état biochimique de bien-être.

Et, si vous souffrez d'une maladie ou d'une infirmité chronique et que l'étendue de vos possibilités est d'une manière ou d'une autre limitée, vous avez d'autant plus de raisons de rechercher toutes les sortes d'activités possibles vous convenant et déclenchant les Endorphines. Trouvez une façon de développer votre conscience et d'étendre vos expériences. Vous avez particulièrement besoin de doses élevées de joie biochimique pour maximiser votre santé et votre bonheur.

Si vous êtes en train de réduire ou d'abandonner complètement votre consommation de tabac, d'alcool ou d'autres habitudes potentiellement néfastes, pensez qu'il est possible de trouver d'autres alternatives au plaisir. Les Endorphines ne sont pas seulement provoquées par des substances extérieures. Rappelez-vous que les substances extérieures, de l'héroïne à la nourriture, véhiculent le plaisir parce qu'il existe en nous, potentiellement et en permanence, un mécanisme biochimique interne qui attend d'être déclenché de l'intérieur.

Le changement constitue un facteur stressant qui peut entraîner une forme d'enrichissement, mais des changements excessifs peuvent rapidement provoquer un stress-détresse. Quand votre vie exige des modifications considérables, bonnes ou d'une autre nature, aidez vous en déclenchant votre biochimie euphorisante pour mieux les assumer; développez les bases de votre bonheur, recherchez la joie partout où vous pouvez la trouver et sachez apprécier les petits plaisirs qui s'offrent à vous. N'oubliez pas que le changement peut être très tonifiant. Effectuez des changements simples si vous le désirez; empruntez un nouveau chemin quand vous vous rendez sur votre lieu de travail, goûtez de nouvelles sortes de thé.

Lorsque des changements catastrophiques surviennent dans votre vie, vous remarquez peut-être que vous désirez davantage vous reposer ou vous dégager de cette énorme vague qui semble vous submerger. C'est dans ces moments-là que vous avez besoin de nouveautés. Alors, la musique, la lecture, un centre d'intérêt basé sur la réflexion ou l'inspiration constituent un apport d'énergie apaisante qui vous permet de « recharger les batteries » de votre biochimie cérébrale.

En menant à terme un projet ou un plan dont vous retardiez sans cesse la réalisation, vous pouvez également déclencher le flux euphorisant des Endorphines; de même, en relevant un défi auquel vous aviez toujours résisté, ou en commençant l'apprentissage d'une nouvelle matière ou d'une formation qui vous paraissaient jusqu'alors impossibles. Toutes ces idées sont des exemples d'une interaction positive avec le stress euphorisant provoqué par le changement.

En vieillissant, nous sommes plus enclins à limiter notre enrichissement à des manières d'être ou à des situations du passé, de notre jeunesse. Ou bien, nous pouvons vivre à nouveau cette éclosion de la vie, indirectement grâce à nos enfants ou nos petits-enfants. La croissance des dendrites au sein du cerveau n'est pas limitée par l'âge, mais bloquée par l'oisiveté. Nous connaissons presque tous les exemples de ces anciennes peuplades dont les membres, octogénaires ou plus, demeurent néanmoins alertes et plein de vitalité, menant une vie d'une très grande qualité. D'une certaine manière, ils ont extrait leur force vitale présente de « l'être vers le devenir », donnant à leurs attitudes et croyances une source de vitalité inépuisable.

Peut-être serait-il utile de penser à vos amis qui y sont parvenus. Qu'avez-vous appris sur les Endorphines que vous puissiez appliquer à leurs cas,— leur mode de vie, leurs choix, leur aptitude à affronter les difficultés et leur quête permanente des joies de la vie ? Il n'y a aucune raison, même si nous ne sommes plus dans notre première jeunesse, de ne pas envisager la vie avec l'oeil neuf d'un enfant. Cette citation de La Bible qu'« il faut être comme des enfants » est souvent de bon aloi.

Ceci s'applique également à notre recherche sur les Endorphines. Nous pouvons toujours être émerveillés par la beauté d'un arc-en-ciel. Personne n'est jamais trop vieux pour faire des bulles de savon. Peut-être aimeriez-vous faire naviguer un bateau miniature sur un plan d'eau ou prendre votre bain en jouant avec des canards en plastique. Ou vous souhaiteriez avoir un train électrique pour Noël, jouer à nouveau à la poupée. Si un domaine innovateur vous intéresse, comme l'informatique ou les jeux vidéo, rien ne vous empêche de vous y adonner et de redécouvrir ainsi la sensation de votre potentiel de jeunesse. Il est nécessaire de nous libérer des préjugés sur l'incapacité, l'âge ou le manque de qualification.
    Nous pourrions apprendre à observer les oiseaux ou à jouer de l'harmonica. Nous pouvons toujours découvrir des moyens et des manières de stimuler notre propre bioélectricité, de rire, jouer et chanter.

Comme le stress provoque les Endorphines, ce processus biochimique vous a peut-être enchaîné à une situation difficile, affligeante ou horrible du passé. De mauvais souvenirs peuvent sembler si gravés dans votre cerveau que vous ne pouvez échapper à des sentiments de culpabilité, de colère, de rancune ou d'amertume. Mais, ainsi que nous l'avons appris, ces images enregistrées par le cerveau sont biochimiques. La physiologie cérébrale ne distingue pas entre une situation présente de défi et une image de détresse appartenant au passé, elle réagit simplement par son action biochimique, afin de préparer le corps à affronter ce stress-détresse.

De ce fait, nous pouvons prolonger ou renforcer en nous stress-négatif et stress-positif au-delà d'une situation passée. Voilà sans doute pourquoi dans de nombreuses religions et croyances, on recommande tant le pardon. Ce dernier constitue une image libératoire favorisant les changements inévitables de la vie. Pardonner représente une des attitudes qui libère biochimiquement le cerveau et permet d'accéder à un nouvel enrichissement. De nouvelles dendrites peuvent ainsi grandir et de nouvelles synapses bioélectriques s'allumer. Le pardon déclenche aussi les Endorphines.

La clé est en nous

Dans notre recherche sur les Endorphines, un des points, le plus sujet à réflexion, nous amène à nous poser une question, vieille comme le monde, de nature plus philosophique que scientifique : comment peut-on définir la qualité de vie ? Dans le monde actuel, nombreuses sont les personnes qui, afin de pourvoir à une certaine qualité de vie, s'affairent exclusivement à l'acquisition de biens matériels. Nous convoitons les beaux objets, nous cherchons à prendre du bon temps, à rencontrer quelqu'un de nouveau qui pourrait s'éprendre de nous. Nous espérons avoir de beaux enfants, talentueux et bien élevés. Nous sommes des êtres socialisés qui croyons que les choses et les événements survenant dans notre vie et dans notre environnement sont responsables de notre bonheur ou de notre malheur. Et, si nous ne satisfaisons pas à nos désirs, nous pensons ne pas profiter de la vie ni d'une qualité de vie, laissant s'échapper les gratifications de notre quête du bonheur.

Mais l'étude des Endorphines nous a démontré que le potentiel de notre bonheur est en nous. Lorsque nous sommes heureux et euphoriques, notre biochimie sous-tend et reflète ce sentiment. Nous pouvons rappeler les histoires de personnes pauvres mais heureuses. En regardant dans le passé, chacun peut se rendre compte que ses ancêtres, même très pauvres étaient très heureux et leur qualité de vie particulière leur donnait apparemment une richesse indéniable. Ceux-là avaient la chance de pouvoir partager, choyer, s'aimer les uns les autres. Ils connaissaient la qualité d'une vie familiale, les vertus d'une attitude souple, faisaient preuve d'optimisme et d'enthousiasme envers la vie et ses potentialités.

Souvent nous entendons parlé d'individus possèdant d'énormes capitaux, des maisons somptueuses, des avions et des bateaux. Ces personnes semblent hantées par leurs problèmes, leurs défis qui leur dérobent leur bonheur. Elles souhaitent alors devenir plus simples, se décharger du poids qui les accable; elles se demandent parfois, si, pour être heureuses à nouveau, elles ne devraient pas s'appauvrir.

Le bonheur peut être défini comme une faculté à faire résonner en nous ce que nos propres systèmes bioélectriques reflètent, un équilibre biochimique particulier, un courant maintenant un flux de l'être au devenir. Ce même flux pourrait stagner si l'on devait s'attarder trop longtemps sur le passé ou l'avenir.

Ce qui ne signifie pas, que nous, qui vivons en Occident, devrions cesser nos efforts, renoncer à toute forme de progrès, toute sensation de désir, abandonner le souhait d'accomplir ou de posséder quelque chose, nous abstenir du bonheur engendré par nos relations aux autres.

Mais, nous engageons une lutte impitoyable et forcée afin d'acquérir ce qui, en définitive, provoque notre aliénation biochimique à ce comportement. Ceci aboutit à une sensation de stress-détresse qui est finalement nuisible à notre santé et rend encore plus difficile notre découverte du bonheur, déjà tellement insaisissable.

Nos découvertes sur les Endorphines nous aident à attribuer un nouveau sens aux termes bonheur et qualité. Que signifie être en bonne santé, riche et sage ? Est-il possible que notre biochimie soit conçue pour faire écho à ces objectifs ? Notre capacité à développer une conscience réceptive aiguisée afin de mieux apprécier la vie et le brasier permanent d'une réaction biochimique euphorisante ne constituent-ils pas les auxiliaires de notre bonheur ?

Lorsque notre vie semble couronnée de lauriers, prospère, que nous avons de grandes facilités de paiement, une maison confortable, de beaux enfants, un conjoint très amoureux, que nous effectuons des voyages passionnants, que nous vivons des aventures palpitantes, même en ayant satisfait à tous nos désirs, si nous n'avons pas élaboré une façon de déclencher et de maintenir une réaction euphorique interne, tous ces désirs paraîtront un jour bien illusoires. Ainsi, nous attendrons toujours quelque chose ou quelqu'un. L'herbe sera toujours plus verte de l'autre côté du grillage. On pourrait dire que, physiologiquement et psychologiquement, notre richesse réside au sein de nos réactions bioélectriques euphoriques face à la vie. Un adage économique préconise la diversité des investissements pour consolider et renforcer une fortune; il en va de même des sources de bonheur.

Le Dr. James A. Knight, professeur de psychiatrie à la Faculté de Médecine en Louisiane et pasteur, a expliqué que le véritable bonheur est une sorte d'homéostasie spirituelle ou « volonté de définir un sens ». Par ce processus, nous devenons le reflet du but de la Vie, du nôtre qui est uniquement de vivre. Si nous embrassons cette mission ou cette direction dans la vie, nous créons les fondements de cette sensation perpétuelle de renouveau que nous recherchons pour la qualité de notre santé et de notre bonheur. Le Dr. Knight nous rappelle de ne jamais sous-estimer la capacité conjuguée de l'esprit et du corps à être renouvelés et régénérés.

La recherche sur les Endorphines apporte une nouvelle dimension à ce concept. Comme Galen Clark, Norman Cousins et Herbert Howe, nous pouvons dépasser ou contourner les barrières apparentes du stress-détresse de la vie. Le Dr. Knight suppose que ce processus consiste à convertir des énergies négatives en énergies positives, en sachant apprécier, voire chérir nos propres instincts naturels qui nous permettent de trouver en nous un équilibre harmonieux.

Il est intéressant de noter que le Dr. Knight caractérise cette conversion d'énergie en terme électrique. Les Endorphines sont des substances biochimiques dans notre propre électricité corporelle. Grâce à cette découverte, il nous est plus aisé de comprendre de quelle manière les conseils spirituels et psychologiques du Dr. Knight se rapportent sur un plan physiologique à la biochimie électrique de l'euphorie.

Regardez à nouveau le courant passé de votre vie. Quel a été le point commun de tous ces moments de bonheur ? Peut-être avez-vous éprouvé de l'amour ou vous en avez fait don, vous avez partagé un sentiment merveilleux d'identité. Un instant de beauté terrestre a paru auréolé d'un éclat paradisiaque. Vous avez peut-être dû attendre longtemps le jour « J » de votre mariage ou de vos vacances; ou bien vous avez simplement apprécié la chaleur d'un bain de soleil, l'air vif et frais de l'automne. Un chant d'oiseau a enchanté votre après-midi, le parfum d'une orchidée s'est laissé emporter par le vent jusqu'à vous. La pluie a carillonné sur votre toit. Le feu dans l'âtre s'est mis à craquer et rayonner dans l'obscurité du soir. Les étoiles ont transpercé un ciel désertique; les sommets enneigés se sont gravés dans l'horizon. Un enfant dans vos bras a réchauffé votre coeur. Vous vous souvenez d'un travail bien fait, d'une montagne que vous avez escaladée.

Une conscience sensorielle aiguë est étroitement liée au sens profond, à l'adoration et à l'amour voués à la vie. Un équilibre biochimique extraordinaire en jaillit à tout moment pour illuminer l'esprit, nourrir le corps, assouvir l'âme.

Le souvenir de ces moments persiste au fil des jours et nous incite à penser que ce qui a été, ne sera plus. Mais, au contraire, ces souvenirs constituent toute notre richesse si nous savons les employer pour amplifier notre perception de la beauté présente.

Ou, vous êtes tenté de vous pencher sur votre futur proche, de rêver au dîner aux chandelles de ce soir ou du week-end suivant. Peut-être êtes vous bientôt en congé ou aurez vous une promotion l'année prochaine.

Epuisés par nos relations, nous souhaitons par exemple que nos enfants sortent de l'horrible phase qu'ils sont en train de vivre, ou qu'un membre de la famille au caractère difficile s'en aille. Nous nous entendons dire « que j'aimerais être à nouveau amoureux ! ». Peut-être qu'en attendant nos vacances, nous imaginons le moment où l'avion atterrira, ou bien la vue d'une ville pittoresque au détour d'un virage. Nous nous trouvons tellement pris dans le processus biochimique déclenché par nos souhaits, notre anticipation des événements, notre oeil fixé sur la pendule, notre attente impatiente de la prochaine pause ou la pré-retraite, qu'une fois de plus toute l'importance du moment présent et son potentiel de beauté échappent à notre conscience.

Quand nous nous sentons plein de vitalité et de joie de vivre, les substances biochimiques cérébrales perçoivent-elles aussi une vibration qui reflète ce sentiment présent ? De telles questions surgissent à nouveau, attendant que l'expérience et la recherche y répondent, tout au long du processus de l'être au devenir. Comme les espoirs et les rêves, les questions nous incitent à avancer dans notre quête, à progresser. Les dendrites s'étendent, se ramifiant au-delà des expériences et limitations passées à la recherche d'un enrichissement et d'une conscience plus vastes. Les puissantes Endorphines euphorisantes, substances biochimiques naturelles du plaisir, du stress positif, de la joie, même de l'extase et de la santé, circulent à travers notre corps avec le potentiel de véhiculer le bonheur à tout moment. Un équilibre bioélectrique particulier peut d'une certaine façon être accéléré. Une réaction des Endorphines commence en quelque sorte à refléter le bonheur de vivre.

En sachant capturer les merveilleux moments du présent grâce à une conscience réceptive, nous concentrer sur notre aptitude à apprécier et à chérir, à vivre l'attente de manière positive, nous pouvons en réalité déclencher les Endorphines. Cette étincelle d'euphorie peut également jaillir dans la délivrance de tout ce qui emprisonne et procure stress-détresse.

Débarrassons-nous des vieilles images de rancune et de culpabilité. La nostalgie aigre-douce d'un passé poussiéreux, déconfit, n'est pas comparable à la vitalité d'aujourd'hui. Les sensations

de demain seront peut-être plus affinées que celles d'aujourd'hui.
Mais notre réceptivité d'aujourd'hui concentrée sur les joies
présentes nous aide à modeler notre aptitude à apprécier le
monde dans lequel nous nous trouverons demain. L'être épanoui
de demain sera à l'image de son devenir d'aujourd'hui, perpétuellement en extase — miracle des Endorphines.

Applications pratiques

Si vous vous sentez malade, émotionnellement découragé ou
déprimé, essayez la thérapie du rire. Regardez un film, une
émission ou une cassette vidéo drôles. Tout d'abord, vous n'aurez
peut-être pas envie de rire, essayez quand même, le plus profondément possible, pendant au moins dix minutes. Renouvelez
cette expérience aussi souvent que vous en ressentez le besoin,
même plusieurs fois par jour. Prenez des notes; vos sensations
sont-elles semblables à celles de Norman Cousins ?

Comme Herbert Howe, vous vous êtes peut-être fixé un objectif, qui exige de votre part des efforts et un développement de
votre être. Cet objectif n'est pas nécessairement d'ordre physique. Essayez de réaliser quelque chose, qui vous tenait à coeur
mais dont vous vous sentiez toujours incapable. Donnez vous
chaque jour le temps de vous y consacrer, progressant toujours
un peu plus, étape par étape.

Choisissez de faire quelque chose que vous aviez toujours
remis à plus tard. Si vous sentez que vous allez à nouveau
l'abandonner, faites le quand même ! Comment vous sentez-vous,
maintenant que vous avez accompli votre tâche ?

Ecoutez votre musique favorite avec la plus parfaite attention.
Ce faisant, faites votre possible pour vous immerger dans le son.
Si vous ressentez un frisson le long de votre colonne vertébrale,
c'est signe que les Endorphines sont présentes.

Si votre bonheur ne provient que d'une seule chose, personne
ou situation, il vous faut en diversifier les sources, afin de vous
préparer aux inévitables changements de la vie. Elargissez le
cercle de vos relations, ouvrez-vous à d'autres personnes, au
monde autour de vous.

Essayez d'être conscient des moments d'amertume, de rancune ou de colère — relatifs surtout aux événements du passé. Quand ces souvenirs surgissent, trouvez des moyens de relâcher ces assuétudes biochimiques. Tenir un journal, honnête et sincère peut vous aider. Cherchez les conseils d'une personne de confiance, avisée ou ceux d'un prêtre selon votre religion.

Pensez aux effets salutaires et bénéfiques que le pardon procure. Remarquez si, pour vous, le pardon déclenche les Endorphines.

Si vous pensez être une personne introvertie, timide, qui préfère les livres, la télévision ou des activités tranquilles, de réflexion, stimulez la réaction opposée en développant de nouvelles façons de communiquer avec les autres et le monde actif autour de vous. N'oubliez pas que la croissance des dendrites ne s'effectue pas dans une cage solitaire.

Si vous êtes une personne extravertie, active, qui aime la stimulation d'une interaction avec vos amis, votre famille, vous avez sans doute constaté que vous détestez être seule. Développez des moyens qui vous permettent de trouver votre place dans la tranquillité et d'être en paix. Vous bénéficierez alors d'Endorphines parasympathiques, que vous n'aviez pas su encore capter, provenant d'activités contemplatives, de relaxation ou de méditation. Tenez le journal de vos pensées et de vos sentiments.

D'après les écrits de Rev. Flower A. Newhouse, fondateur de l'Eglise *The Christward* et du *havre de paix Questhaven Retreat*, nous pouvons adopter une discipline revigorante, tonifiante que nous pouvons mettre à notre service en nous promenant dans la nature. Concentrez chacun de vos cinq sens, l'un après l'autre, comme si vous recherchiez cinq stations de radio différentes. Prenez le temps d'en apprécier séparément et pleinement chaque perception. Puis, modulez vos cinq sens, en essayant de les capter tous simultanément. Cet exercice est un excellent déclencheur d'Endorphines, et peut vous aider à acquérir une conscience aiguisée et affinée.

Peu importe notre définition de Dieu, chacun peut trouver un sens à sa vie, en ayant le sentiment de ne faire qu'Un avec la Création. Qu'est-ce qui vous procure votre plus grande joie ? Les Endorphines euphorisantes —partie intégrante de l'énergie bioélectrique appelée vie— affluent pendant les moments de profonde conscience —vos expériences mystiques. Quelles sont les impressions qui donnent à votre vie un sens profond ? Les réponses à ces questions vous aident à définir votre place dans la Création. Recherchez votre propre expérience permanente de joie — faites la fête !— aimez la Vie, fidèle, comme la vie qui coule en vous et vous entoure.

Bâtis toi,
O mon âme,
De plus majestueuses demeures,
Tandis que roule la ronde vive des saisons.

Abandonne derrière toi,
De ton passé les basses voûtes !

Que chaque nouveau temple en noblesse surpasse le temple
précédent, Et, d'une coupole plus vaste du ciel te prémunisse,
Jusqu'à ce que tu sois libre enfin,
Délaissant ta coque devenue trop étroite
Sur le rivage de l'océan de la vie aux flots sans repos !

Olivier Wendell Holmes

EPILOGUE

En découvrant la coquille d'un nautile, Oliver Wendell a exprimé sa propre inspiration, sa conscience intensifiée de la beauté de la Vie. Aux yeux du poète, la coquille est devenue le symbole du flux vital perpétuellement ascendant. Cet extrait du poème d'Holmes reflète à nos yeux l'intuition pénétrante qui éclaire nos propres recherches et nos propres découvertes.

Considérons le stress positif des Endorphines qui représente encore une autre forme de conscience intensifiée. L'instant présent est alors imprégné d'un sentiment d'unicité. Il n'y a pas d'impression de séparation, le physique et le mental, en réalité le corps et l'esprit sont un. Cette élévation de la conscience a été décrite depuis des millénaires par les poètes, les mystiques et les philosophes.

Nous nous imaginons peut-être que nous ne pouvons prétendre à accéder à cette sensation privilégiée, nous qui ne sommes que des gens très ordinaires, menant une existence terne et dépourvue d'inspiration. Mais ceux que l'on nomme sages, sont-ils d'une autre espèce que la nôtre ? Les potentialités du système biochimique cérébral sommeillent en chacun de nous. Le stress positif est une sensation que nous éprouvons tous. Chacun de nous ne disposerait-il pas du pouvoir virtuel lui permettant de rejeter derrière soi une coquille devenue trop étroite, de découvrir la joie et l'unité, ultime aboutissement de nos explorations à travers le monde des Endorphines ?

Les Endorphines appartiennent-elles à l'immense royaume énergétique qui comble le fossé séparant notre corps physique de l'essence spirituelle ?

Si les forces biochimiques que nous abritons sont potentiellement capables de réagir selon un subtil réglage, quels autres courants attendent que notre propre cerveau, doué d'une telle réceptivité, viennent se brancher sur eux ? Les ondes permettant la radiodiffusion existaient bien avant l'invention des amplificateurs et des récepteurs.

Mais les ondes radio n'existaient qu'en tant que transmetteurs potentiels, avant que les récepteurs n'en fassent une réalité observable. La Musique des Sphères attend-elle comme une onde radio d'être captée par le récepteur bioélectrique de notre propre cerveau rendu sensible par le réglage de nos jugements, de nos choix, de notre concentration ? L'immense beauté de la Terre abrite-t-elle le potentiel qui nous rendrait capable de devenir des amplificateurs bioélectriques de Joie ? Les anges entonnent-ils des chants dont les harmonies échappent de peu, faute d'un réglage approprié, à notre ouïe bioélectrique ?

Pourrions-nous, par la contemplation, concevoir une Grande Divinité qui nous a dotés d'Endorphines, afin de pouvoir, à Son Image, être l'instrument à travers lequel vibre la Beauté euphorique de Sa Création ?

Ces considérations prennent tout leur sens face au Présent, grâce aux merveilleuses découvertes de la Biochimie et aux espérances que les recherches en cours offrent à notre devenir.

Construis pour toi, ô mon âme, des demeures plus majestueuses !

GLOSSAIRE

Axone :
Partie des neurones ramifiée et semblable aux branches maitresses d'un arbre (cellule cérébrale et/ou cellule nerveuse) qui transmet les impulsions nerveuses à partir des cellules du corps jusqu'aux autres neurones.

Cerveau reptilien :
Couche la plus profonde du cerveau également appellée « tronc cérébral«. Selon la théorie du Dr. Paul Mac Lean, il s'agit de la couche du cerveau responsable de la survie, à la fois physique et psychologique, renfermant son propre ensemble d'instincts inconscients.

Collagénose :
Maladie anti-immunitaire affectant les tissus conjonctifs riches en collagènes.

Endorphine-béta :
Endorphine spécifique provenant de la glande pituitaire. Le Dr. Choh Hao Li a découvert l'Endorphine-béta dans une chaîne de peptides d'origine pituitaire plus longue se manifestant parrallèlement à l'A.C.T.H.

Cortex :
Couche du cerveau située le plus à l'extérieur, considérée généralement comme étant la zone responsable de la pensée consciente.

Dendrites :
Désigne les ramifications périphériques des neurones en forme de branches. Les dendrites constituent les récepteurs des impulsions électriques provenant des neurones. On sait maintenant qu'elles réagissent à la stimulation en croissant et en s'étendant.

Dépression post-natale :

Type de dépression souvent observée chez les femmes après l'accouchement. Les recherches actuelles suggèrent une modification dans l'équilibre des Endorphines, maintenues à un niveau élevé tout au long de la grossesse et jusqu'au moment de l'accouchement.

Endorphines :

Terme générique introduit par le Dr. Eric Simon désignant la famille de substances biochimiques cérébrales qui soulagent la douleur et créent l'euphorie.

Endorphinique :

Relatif aux Endorphines.

Enképhalines :

Nom scientifique des Endorphines. Désigne également le type d'Endorphines spécifiques découvertes par le Dr. John Hughes qui les a ainsi baptisées.

Enrichissement :

Cet ouvrage propose une acception plus large à ce terme, à savoir une certaine qualité de vie impliquant une pleine conscience et une pleine appréciation de tous les éléments que la Vie met à notre disposition.

Euphorie :

Sentiment de bien-être, de bonheur, de plaisir dont on sait à présent qu'il est provoqué par les substances biochimiques du corps entrant en action naturellement.

Homéostasie :

Maintien à leur valeur normale des différentes constantes physiologiques de l'individu. Etat d'équilibre à l'intérieur du corps.

Hormones :

Substances biochimiques provenant d'une glande ou d'un organe circulant dans le sang, en direction des autres parties du corps. Les hormones sont les messagers communiquant le besoin d'une activité fonctionnelle.

Hormone adrénocorticotrope (A.C.T.H.) :
Hormone sécrétée par la glande pituitaire. L'A.C.T.H. est impliquée dans le maintien du système immunitaire.

Immunité :
Aptitude du corps à préserver la santé en opposant une défense aux attaques occasionnées par les blessures ou la maladie, et en particulier aux attaques des bactéries, parasites et/ou substances toxiques.

Limbique (cerveau) :
Couche médiane du cerveau, siège, selon la théorie du Dr. Paul Mac Lean, des émotions conscientes et inconscientes.

Lymphocyte :
Type de globule blanc spécifique circulant dans le système sanguin et constituant l'une des premières défenses du corps contre la maladie.

Naloxone :
Antidote chimique aux drogues telles que la Morphine. La Naloxone est utilisée à l'heure actuelle pour tester l'action des Endorphines dans le corps.

Neurone :
Terme scientifique désignant les cellules cérébrales et nerveuses.

Parasympathique (système) :
Phase de repos, de décontraction du système nerveux autonome.

Relation de phase :
Terme utilisé en acoustique pour désigner l'effet sonore unifié que peuvent créer des haut-parleurs correctement placés et réglés.

Placébo :
Couramment décrit comme « pseudo« thérapie, le placébo consiste généralement en un comprimé sucré ou une injection

saline ne renfermant en réalité aucune substance active. Les recherches s'intéressant aux Endorphines élargissent cette définition pour inclure les réactions biochimiques naturelles activées par la confiance placée dans une thérapie donnée.

Psycho-neuro-immunologie :

Branche de la recherche s'intéressant à l'étude des relations existant entre l'esprit (psycho), le cerveau (neuro), et l'aptitude du corps à combattre la maladie (immunologie).

Récepteurs d'Endorphines :

Désigne les zones spécialisées situées à la surface des cellules du corps, que l'on peut comparer à des « serrures« dans lesquelles viennent se loger les « clés« biochimiques : par exemple les Endorphines qui « s'ajustent« dans les récepteurs, assurent ainsi leur action à l'intérieur du corps.

Stimulation :

Flux bioélectrique transmis au cerveau et au système nerveux par les impulsions provenant de nos cinq sens.

Stress :

Tension ou pression intenses. Cette notion a été récemment affinée par le Dr. Hans Selye qui a été le premier à étudier les conséquences du stress sur l'organisme. Le nature du stress est variée : il peut être mental, émotionnel, physique ou combiner ces trois aspects. Les Endorphines sont souvent déclenchées par le stress.

Stress négatif, stress-détresse :

Type de stress se caractérisant par une tension émotionnelle et/ou physique imposée par la douleur, l'inquiétude ou l'anxiété.

Stress positif ou eustress :

Terme introduit par le Dr. Hans Selye désignant un type de stress bénéfique, provoquant des effets agréables et stimulant l'euphorie.

Sympathique (système) :

Phase active, dite « d'affrontement ou de fuite« du système nerveux autonome.

Synapse :

Désigne l'espace situé entre axones et dendrites. Il s'y produit une impulsion bioélectrique ou « éclair« chimique de très courte durée. On retrouve les synapses dans la totalité du système nerveux et cérébral. Les impulsions nerveuses se déplacent à travers le flux reliant les synapses entre elles.

Système nerveux autonome :

Partie du système nerveux considérée jusqu'à ces dernières années comme relatif au contrôle des fonctions corporelles involontaires, telles que les diverses glandes ,les tissus des muscles lisses et le coeur. Les recherches en cours semblent indiquer qu'il serait également impliqué dans le contrôle volontaire.

BIBLIOGRAPHIE

Nous avons mentionné, autant que possible, les noms des universités où les recherches sur les Endorphines ont été réalisées. Cela vous donnera, lecteur, une idée de l'étendue de l'exploration sur ce sujet dans le monde.

Introduction

Ardell, Donald B. *High Level Wellness.* Emmaus, Pennsylvania: Rodale Press, 1977.

Davis, Joel. *Endorphins, New Waves in Brain Chemistry.* Garden City, New York: The Dial Press, 1983.

Ellenwood, S. and R.W. Wilson, Michigan State University. "Endorphins and ethics." *Ethics in Science and Medicine,* Vol. 7 (1980), pp. 159-60.

Goldstein, Avram, Addiction Research Foundation, Palo Alto, California. "Opiod peptides: function and significance." *Opiods, Past, Present and Future,* ed. J. Hughes, H.O.J. Collier, M.J. Rarce and M.B. Tyres. London and Philadelphia: Taylor and Francis, 1984, pp. 127-143.

Jaffe, Dennis T. *Healing From Within.* New York: Alfred A. Knopf, 1980.

Maranto, Gina. "The mind within the brain." *Discover,* Vol. 5, No. 5 (May, 1984), pp. 34-43.

Pelletier, Kenneth R. *Holistic Medicine From Stress to Optimum Health.* New York: Delacorte Press, 1979.

Simon, Eric J. New York University Medical Center. "History." *Endorphins, Chemistry, Physiology, Pharmacology and Clinical Relevance,* eds. J.B. Malick, and R.M.S. Bell. New York: Marcel Dekker, Inc., 1982.

Sobel, David S., ed. *Ways of Health, Holistic Approaches*

to *Ancient and Contemporary Medicine*. New York: Harcourt Brace Jovanovich, 1979.

Watson, S. J., et al, Mental Health Research Institute, University of Michigan, Ann Arbor. "Opiod systems: anatomical, physiological and clinical perspectives." *Opiods, Past, Present and Future,* eds. J. Hughes, H.O.J. Collier, M.J. Rarce, and M.B. Tyres. London and Philadelphia: Taylor and Francis, 1984, pp. 145-178.

Weiner, H.M. *Psychobiology and Human Disease.* New York: Elsevier Press, 1977.

Chapter One

Akil, H., D.J. Mayer, and J.C. Liebeskind, Stanford University, Palo Alto, and University of California, Los Angeles. "Antagonism of stimulation produced analgesia by naloxone antagonist." *Science*, Vol. 191 (1976), pp. 961-962.

————, J. Hughes, and J.D. Barchas, Stanford University, Palo Alto, California. "Enkephalin-like material elevated in ventricular cerebro-spinal fluid of patients after focal stimulation." *Science*, Vol. 201 (1978), pp. 463-465.

Amir, S., Z.W. Brown, and Z. Amit, Concordia University, Quebec, Canada. "The role of Endorphins in stress: evidence and speculations." *Neuroscience and Biobehavioral Reviews*, Vol. 4 (Spring, 1980), pp. 77-81.

Atweh. S.F., and M.J. Kuhar, University of Chicago, Illinois, and Johns Hopkins University, Baltimore, Maryland. "Distribution of physiological significance of opiod receptors in the brain." *British Medical Bulletin*, Vol. 39, No. 1 (1983), pp. 47-52.

Begley, S., J. Carey, and R. Sawhill. "How the brain works." *Newsweek* (February 7, 1983), pp. 40-47.

Benson, Herbert. *The Relaxation Response.* New York: William Morrow and Co., 1975.

Berger, P.A., H. Akil, and J.D. Barchas, Stanford University, Palo Alto, California. "Behavioral pharmacology of the Endorphins." *Annual Reviews of Medicine*, Vol. 33 (1982), pp. 397-415.

Bloom, Floyd E., Salk Institute, La Jolla, California. "Neuropeptides." *Scientific American*, Vol. 254, No. 4 (October 1981), pp. 148-168.

Bolles, R.C. and M.S. Fanselow, University of Washington, Seattle, and Dartmouth College, Hanover, New Hampshire. "Endorphins and behavior." *American Review of Psychology*, Vol. 33 (1982), pp. 87-101.

Bortz, W.M., et al, Stanford University, Palo Alto, California. "Catecholamines, Dopamine and Endorphin levels during extreme exercise." *The New England Journal of Medicine*, Vol. 305 (August 20, 1981), pp. 466-467.

Carr, D., et al, Harvard Medical School, Boston. "Physical conditioning facilitates the exercise-induced secretion of B-Endorphin and B-lipoprotein in women." *New England Journal of Medicine*, Vol. 305 (September 3, 1981), pp. 560-63

————. "Endorphins in contemporary medicine." *Comprehensive Therapy*, Vol. 9, No. 3 (1983), pp. 40-45.

Colt, E.W., D.S.L. Wardlaw, and A.G. Frantz, Columbia University, New York. "The effect of running on plasma B-Endorphin."*Life Science,* Vol. 28 (1981), pp. 1637-1640.

Cox, B.M., et al, Stanford University, Palo Alto, California. "A peptide-like substance that acts like a morphine. 2. Purification and properties." *Life Science*, Vol. 16 (June 15, 1975), pp. 1777-82.

Cuello, A. Claudio, Oxford, England. "Central distribution of opiod peptides." *British Medical Bulletin*, Vol. 39, No. 1 (1983), pp. 11-16.

Davis, B.J., G.D. Burd, and F. Macrides, Worcester Foundation for Experimental Biology, Shrewsbury, Massachusetts. "Localization of Methionine-enkephalin, Substance P and Somatostatin immunoreactivities in the main olfactory bulb of the hamster." *The Journal of*

Comparative Neurology, Vol. 204 (1982), pp. 377-383.

Davis, Joel. *Endorphins, New Waves in Brain Chemistry.* Garden City, New York: The Dial Press, 1983.

Dubois, M., et al, National Institute of Health, Bethesda, Maryland. "Surgical stress in humans is accompanied by an increase in plasma Beta-Endorphin immunoreactivity." *Life Sciences,* Vol. 29 (1981), pp. 1249-1254.

Duggan, A.W., Australian National University, Canberra. "Electrophysiology of opiod peptides and sensory systems." *British Medical Bulletin,* Vol. 39, No.1 (1983), pp. 65-70.

Friedman, Milton. *Type A Behavior and Your Heart.* New York: Alfred A. Knopf, 1974.

Goldstein, A., et al, Stanford University, Palo Alto, California. "Dynorphin-[1-13], an extraordinarily potent opiod peptide." *Proceedings, National Academy of Sciences (U.S.A.),* Vol. 76 (December, 1979), pp. 6666-70.

Greist, J.H., et al, University of Wisconsin, Madison. "Running as treatment for depression." *Comprehensive Psychiatry,* Vol. 20, No. 1 (January/February, 1979), pp. 41-54.

Grossman, A., and L.H. Rees, St. Bartholomew's Hospital, London, England. "The neuroendocrinology of opiod peptides." *British Medical Bulletin,* Vol 39, No. 1 (1983), pp. 83-88.

Guillemin, Roger, Salk Institute, La Jolla, California. "Peptides in the brain: the new endocrinology of a neuron." *Science,* Vol. 202 (October 27, 1978), pp. 390-402.

————, et al. "The Endorphins: novel peptides of brain and hypophysial origin, with opiate-like activity: biochemical and biologic properties." *Annals of The New York Academy of Sciences,* Vol. 27 (1977), pp. 131-157.

————, et al. "Characterization of the Endorphins, novel hypothalamic and neurohypophysial peptides with opiate-like activity: evidence that they induce profound behavioral changes." *Psychoneuroendocrino-*

logy, Vol. 2 (1977), pp. 59-62.

Henderson, Graeme, Cambridge, England."Electrophysiological analysis of opiod action in the central nervous system." *British Medical Bulletin,* Vol. 39, No. 1 (1983), pp. 59-64.

Hughes, J., et al, University of Aberdeen, Scotland. "Identification of two related pentapeptides from the brain with potent opiate agonist activity." *Nature,* Vol. 258 (December 18, 1975), pp. 577-579.

————, and H.W. Kosterlitz, Imperial College of Science and Technology, London, England. "Introduction opiod peptides." *British Medical Bulletin,* Vol 39, No. 1 (1983), pp. 1-3.

Imura, H., et al, Kyoto University, Japan. "Effect of CNS peptides on hypothalamic regulation of pituitary secretion." *Neurosecretion and Brain Peptides,* eds. J.B. Martin, S. Reichlin, and K.L. Bick. New York: Raven Press, 1981.

Iverson, Leslie L., Cambridge, England. "The chemistry of the brain." *Scientific American,* Vol. 241 (September, 1979), pp. 134-139.

Kangawa. K., et al, Miyazaki Medical College, Yiyotake, Japan. "A neo-endorphin: a "big" Leu-enkephalin with potent opiate activity from porcine hypothalamus." *Biochemical and Biophysical Research Communications,* Vol. 86 (January 15, 1979), pp. 153-60.

Kilpatrick, D.L., et al, Roche Institute of Molecular Biology, Nutley, New Jersey. "Rimorphin, a unique, naturally occurring (Leu)enkephalin-containing peptide found in association with Dynorphin and A-neo-endorphin." *National Academy of Sciences (U.S.A.),* Vol. 79 (November, 1982), pp. 6480-83.

King, C., et al, Louisiana State University, New Orleans. "Effects of B-Endorphin and morphine on the sleep-wakefulness behavior of cats." *Sleep,* Vol. 4, No. 3 (1981), pp. 259-262.

Koob, G.F., and F.E. Bloom, Salk Institute, La Jolla, California. "Behavioural effects of opiod peptides." *British Medical Bulletin*, Vol. 39, No.1 (1983), 89-94.

LeRoith, D., et al, National Institute of Mental Health, Bethesda, Maryland. "Corticotropin and B-Endorphin-like materials are native to unicellular organisms." *Proceedings. National Academy of Sciences (U.S.A.)*, Vol. 79 (March, 1982), pp. 2086-90.

McQueen, D.S., University of Edinburg Medical School, Scotland. "Opiod Peptide Interactions with Respiratory and Circulating Systems." *British Medical Bulletin*, Vol. 39, No. 1 (1983), pp. 77-82.

Malick, J.B., and M.S. Bell, eds. *Endorphins: Chemistry, Physiology, Pharmacology and Clinical Relevance*. New York: Marcel Dekker, Inc., 1982.

Mancillas, J.R., et al, Salk Institute, La Jolla, California. "Immunocytochemical localization of Enkephalin and Substance P in retina and eyestalk neurons of lobster." *Nature*, Vol. 239 (October 15, 1981), pp. 376-377.

Markoff, R.A., P. Ryan, and T. Young, University of Hawaii, Honolulu. "Endorphins and mood changes in long-distance running." *Medicine and Science in Sports and Exercise*, Vol. 14, No. 1 (1982), pp. 11-15.

Martin, J.B. *Functions of Neurosecretion and Brain Peptides*. New York: Raven Press, 1981.

Millan, M.J., Max-Planck Institute of Psychiatry, Munich, West Germany. "Stress and endrogenous opiod peptides: a review." *Modern Problems in Pharmacopsychiatry*, eds. T.A. Ban, et al. Basel, Switzerland: S. Kargen, 1981, pp. 49-67.

Miller, R.J., and V.M. Pickel, University of Chicago, Illinois and Cornell Medical College, New York. "The distribution and functions of the Enkephalins." *The Journal of Histochemistry and Cytochemistry*, Vol. 28, No. 8 (1980), pp. 903-917.

Minimino, N., et al, Miyazaki Medical College, Kiyotaka, Japan. "B-neo-endorphin, a new hypothalamic "big" Leuenkephalin of porcine origin: its purification and the complete amino acid sequence." *Biochemical and Biophysical Research Communications*, Vol. 99 (April 15, 1981), pp. 864-70.

Morgan, W.P. and D.H. Horstman, University of Wisconsin, Madison. "Anxiety reduction following acute physical activity." *Medicine and Science in Sports and Exercise*, Vol. 8 (1976), p. 62.

Ornstein, Robert E. *The Psychology of Consciousness*. San Francisco: W.H. Freeman & Co., 1972.

"Opiate peptides, analgesia and the neuroendocrine system." *British Medical Journal*, No. 6216 (March 15, 1980), pp. 741-742.

Pelletier, Kenneth R. *Mind as Healer, Mind as Slayer, A Holistic Approach To Preventing Stress Disorders*. New York: Dell Publishing Co., 1977.

Pert, Agu, National Institute of Mental Health, Bethesda, Maryland. "The body's own tranquilizers." *Psychology Today*, Vol. 15 (March 9, 1973), pp. 1011-14.

Pickar, D., et al, National Institutes of Health, Bethesda, Maryland. "Response of plasma cortisol and B-Endorphin immunoreactivity to surgical stress." *Psychopharmacology Bulletin*, Vol. 18 (July, 1982), pp. 208-211.

Polak, J.M., and S.R. Bloom, Royal Postgraduate Medical School, London, England. "The diffuse neuroendocrine system." *The Journal of Histochemistry and Cytochemistry*, Vol. 27, No. 10 (1979), pp. 1398-1400.

Pribram, Karl. *Languages of The Brain, Experimental Paradoxes and Principles in Neuropsychology*. Monterey, California: Brooks/Cole Publishing Co., 1977.

Quinby, Brie P. "The fitness fix: why exercise is a great high." *Mademoiselle*, Vol. 88 (March, 1982), p. 94.

Restak, Richard M. *The Brain, The Final Frontier*. New York: Doubleday, 1979.

Schwartz, J.C., and B.P. Roques, U.E.R. des Sciences Pharmaceutiques et Biolgiques, Paris, France. "Opiod peptides as intercellular messengers." *Biomedicine*, Vol. 32 (1980), pp. 169-175.

Selye, Hans. *Stress Without Distress.* New York: Dutton, 1974.

Snyder, Solomon H., Johns Hopkins University, Baltimore, Maryland. "Drug and neurotransmitter receptors in the brain." *Science,* Vol. 224 (April 6, 1984), pp. 22-31.

Stevens, Charles F. "The neuron." *The Brain, A Scientific American Book.* San Francisco: W.H. Freeman & Co., 1979.

Terenius, L., and A. Wahlstrom, University of Uppsala, Sweden. "Morphine-like ligand for opiate receptors in human CSF." *Life Sciences,* Vol. 16 (June 15, 1975), pp. 1759-64.

—————. "Antagonism of stimulation produced analgesia by naloxone, a narcotic antagonist." *Science,* Vol. 191 (1976), pp. 961-962.

Tower, Donald B., National Institutes of Health, Bethesda, Maryland. "Epilogue." *Neurosecretions and Brain Peptides,* eds. J.B. Martin, S. Reichlin, and K.L. Bick. New York: Raven Press, 1981, pp. 691-693.

van Praag, H.M., and W.M.A. Verhoeven, University of Utrecht, The Netherlands. "Neuropeptides, a new dimension in biological psychiatry." *Progress in Brain Research, Vol. 53* (1980), pp. 329-47.

Walsh, Roger. *Towards an Ecology of Brain.* New York: Spectrum Publications, Inc., 1981.

Wei, E., University of California, Berkeley. "Enkephalin analogs and physical dependence." *Journal of Pharmacology and Experimental Therapeutics,* Vol. 216 (June, 1981), pp. 12-18.

—————, and H. Loh. "Physical dependence on opiate-like peptides." *Science,* Vol. 193 (September 24, 1976), pp. 1262-1263.

Wenyon, Michael. *Understanding Holography.* New York: Arco Publishing Company, Inc., 1978.

Williams, J.T. and W. Zieglansberger, Max-Planck Institute of Psychiatry, Munich, West Germany. "Neurons in the frontal cortex of the rat carry multiple opiate receptors." *Brain Research,* Vol. 226 (1981), pp. 304-308.

Wise, S.P. and M. Herkenham, National Institute of Mental Health, Bethesda, Maryland. "Opiate receptor distribution in the cerebral cortex of the rhesus monkey." *Science,* Vol. 218 (October, 22, 1982), pp. 387-92.

Zetler, G., Medical School of Lubeck, Federal Republic of Germany. "Active peptides in the nervous tissue: historical perspectives." *Advances in Biochemical Psychopharmacology* , *Vol. 18,* eds. E. Costa, and M. Trabucchi. New York: Raven Press, 1978, pp. 1-13.

The Diagram Group. *The Brain, A User's Manual.* New York: Perigee Books, 1982.

Chapter Two

Antelman, S.M., and N. Rowland, University of Pittsburg, Pennsylvania. "Endrogenous opiates and stress-induced eating."*Science,* Vol. 214 (December, 1981), pp. 1149-50.

Ball, Aimee Lee. "To: Candace Pert for: brain power." *Redbook Magazine,* Vol.153, No. 5 (September, 1979), p. 56.

Beecher, Henry K., American Mediterranean Theater of Operations, WWII. "Pain in men wounded in battle." *Annals of Surgery,* Vol. 123, No. 1 (1946), pp. 96-105.

Berger, P.A., and J.D. Barchas, Stanford University, Palo Alto, California. "Studies of B-Endorphin in psychiatric patients." *Annals New York Academy of Sciences,* Vol. 398 (December 20, 1982), pp. 448-459.

Bloom, F.E., et al, University of California, San Diego, and the Salk Institute, La Jolla, California. "B-Endorphin: cellular localization, electrophysiological and behavioral effects." *Advances in Biochemical Psychopharmacology, Vol. 18,* eds. E. Costa, and M. Trabucchi. New York: Raven Press, 1978.

――――――. "Endorphins as mediators of ethanol actions: multidisciplinary tests." *Advances in Endrogenous and Exogenous Opiods; Proceedings* ، (July, 26-30, 1981), p. 226 ff.

Blum, K., M.G. Hamilton, and J.E. Wallace, University of Texas, San Antonio, and University of Western Ontario, London, Ontario, Canada. "Alcohol and opiates: a review of common neurochemical and behavioral mechanisms." *Alcohol and Opiates, Neurochemical and Behavioral Mechanisms*, ed. by K. Blum. New York: Academic Press, Inc., 1977.

Brown, D.R. and S.G. Holtzman, Emory University, Atlanta, Georgia. "Suppression of deprivation induced food and water intake in rats and mice by nalaxone." *Pharmacology, Biochemistry and Behavior*, Vol. 11 (1979), pp. 567-73.

Davis, K.L., et al, Palo Alto V.A. Medical Center, California, and Bronx V.A. Medical Center, New York. "Neuroendocrine and neurochemical measurements in depression." *American Journal of Psychiatry*, Vol. 138, No. 12 (December, 1981), pp. 1555-1561.

Dubos, Rene. *The Mirage of Health*. New York: Doubleday/Anchor Books, 1959.

Eihnhorn, D., J.B. Young, and L. Landsberg, Harvard Medical School, Boston, Massachusetts. "Hypotensive effect of fasting: possible involvement of the sympathetic nervous system and endrogenous opiates." *Science*, Vol. 217 (August 20, 1982), pp. 727-729.

Facchinetti, F., et al, Universities of Siena, Messina, Pergugia, and Cagliari, Italy. "Opiod plasma levels during labor." *Gynecologic and Obstetric Investigation*, Vol. 13 (1982), pp. 1555-163.

Forman, L.J., et al, Michigan State University, East Lansing. "Immunoreactive B-Endorphin in the plasma, pituitary and hypothalamus of young and old male rats." *Neurobiology of Aging*, Vol. 2 (1982), pp. 281-284.

Furuhashi, N., et al, Tohoku University School of Medicine, Sendai, Japan. "Plasma Adrenocorticotrophic Hormone, Beta-Lipotropin, and Beta-Endorphin in the human fetus at delivery." *Gynecologic and Obstetric Investigation*, Vol. 14 (1982), pp. 236-239.

Gilman, A.G., et al, University of California, San Diego. "B-Endorphin enhances lymphocyte proliferative responses." *Proceedings of the National Academy of Sciences, (U.S.A.),* Vol. 79 (July, 1982), pp. 4226-4230.

Goodlin, R.C., University of Nebraska, Omaha. "Nalaxone and its possible relationship to fetal Endorphin levels and fetal distress." *American Journal of Obstetrics and Gynecology,* Vol. 139 (1981), pp. 16-19.

Halbreich, U., and J. Endicott, Montefiore Medical Center, Bronx, New York. "Possible involvement of Endorphin withdrawal or imbalance in specific premenstrual syndromes and postpartum depression." *Medical Hypotheses,* Vol. 7 (1981), pp. 1045-1058.

Hutchinson, J.S., et al, University of Melbourne, Australia. "Effects of bromocriptine on blood pressure and plasma B-Endorphin in spontaneously hypertensive rats." *Clinical Science,* Vol. 61 (1981), pp. 343s-345s.

Johnson, H.M., et al, University of Texas, Galveston. "Regulation of the in vitro antibody response by neuroendocrine hormones." *Proceedings of the National Academy of Sciences (U.S.A.),* Vol. 79, (July, 1982), pp. 4171-4174.

Judd, L.L., et al, University of California, San Diego. "Endrogenous opiod mechanism in neuroendocrine regulation in normal and psychopathological states." *Psychopharmacology Bulletin,* Vol. 18, No. 3 (July 1982), pp. 204-207.

Konturek, Stanislaw J., Institute of Physiology, Krakow, Poland. "Opiates and the gastrointestinal tract." *American Journal of Gastroenterology,* Vol. 74 (1980), pp. 285-291.

Kovacs. G.L., G. Telegdy, and D. De Weid, University Medical School, Szeged, Hungary, and University of Utrecht, The Netherlands. "Selective attenuation of passive avoidance behavior by microinjection of B-LPH 62-77 and B-LPH 66-77 into the nucleus accumbens in rats." *Neuropharmacology,* Vol. 21 (1982), pp. 451-455.

Kuich, T.E., and D. Zimmerman, Mayo Graduate School of Medicine, Rochester, Minnesota. "Endorphins, ventilatory control and sudden infant death syndrome—a review and synthesis." *Medical Hypotheses*, Vol. 7 (1981), pp. 1231-1240.

Lipsitz, L.A., et al, Hebrew. Rehabilitation Center for the Aged, Boston, Massachusetts. "Postprandial reduction in blood pressure in elderly." *New England Journal of Medicine*, Vol. 39, No. 2 (July 14, 1983), pp. 81-83.

McCain, H.W., et al, Fairleigh Dickinson University School of Dentistry, Hackensack, New Jersey. "B-Endorphin modulates human immune activity via nonopiate receptor mechanisms." *Life Sciences*, Vol. 31 (1982), pp. 1619-1624.

Mandenoff, A., et al, Laboratoire de Nutrition Humaine, Paris, France, and Temple University, Philadelphia, Pennsylvania. "Endrogenous opiates and energy balance." *Science*, Vol. 215 (March, 1982), pp. 1536-37.

Margules, David L., Temple University, Philadelphia, Pennsylvania. "Obesity and the hibernation response." *Psychology Today*, Vol. 13, No. 10 (October 1979), p. 136.

Miranda, H., G. Bustos, and H. Lara, Pontifica Universidad Catolica, Santiago, Chile. "Chronic ethanol administration induces tolerance to morphine and to B-Endorphin responses in the rat vas deferens." *European Journal of Pharmacolgy*, Vol. 87 (1983), pp. 291-296.

Morley, J.E., and A.S. Levine, University of Minnesota, Minneapolis. "The role of the endrogenous opiate as regulators of appetite." *The American Journal of Clinical Nutrition*, Vol. 35 (April 1982), pp. 757-761.

————. "Stress-induced eating is mediated through endrogenous opiates." *Science*, Vol. 209 (September, 1980), pp. 1259-1260.

————. "The neuroendocrine control of appetite: the role of the endrogenous opiates, Cholecystokinin, TRH, GABA, and the diazepam receptor." *Life Sciences*, Vol. 27,

No. 5 (1980), pp. 355-368.

————. "The endocrinology of the opiates and opiod peptides." *Metabolism*, Vol. 30, No. 2 (February, 1981), pp. 195-204.

Moss, I.R., and E.M. Scarpelli, Albert Einstein College of Medicine, Bronx, New York. "B-Endorphin central depression of respiration and circulation." *Journal of Applied Physiology*, Vol. 50 (1981), pp. 1011-1016.

"Nicotine spurs Endorphins." *Brain/Mind Bulletin*, Vol 9, No. 4 (January 23, 1984), p. 3.

North, R.A., and T.M. Egan, Massachusetts Institute of Technology, Cambridge. "Actions and distributions of opiod peptides in peripheral tissues." *British Medical Bulletin*, Vol. 39, No. 1 (1983), pp. 71-75.

Pert, Agu, National Institute of Mental Health, Bethesda, Maryland. "The body's own tranquilizers." *Psychology Today*, Vol. 15, No. 9 (September, 1981), p. 100.

Petty, M.A., J.M.A. Sitsen, and W. DeJong, University of Utrecht, The Netherlands. "B-Endorphin, and endrogenous depressor agent in the rat?" *Clinical Science*, Vol. 61 (1981), pp. 339s-342s.

Recant, L., et al, National Institute of Mental Health, Bethesda, Maryland, "Naltrexone reduces weight gain, alters B-Endorphin and reduces insulin output from pancreatic islets of genetically obese mice." *Peptides*, Vol. 1, No. 4 (1980), pp. 309-314.

Reus, Victor, Langley Porter Institute, San Francisco, California. "Neuropeptide modulation of opiate and ETOH tolerance and dependence." *Medical Hypotheses*, Vol. 6, No. 11 (1980), pp. 1141-1148.

Riley, A.L., D.A. Zellner, and H.J. Duncan, The American University, Washington, D.C. "The role of Endorphins in animal learning and behavior." *Neuroscience and Biobehavioral Reviews*, Vol. 4 (September, 20, 1979), pp. 69-76.

Risch, S.C., et al, University of California, San Diego. "Elevated plasma B-Endorphin concentrations in depression and cholinergically sensitive release mechanisms *Psychopharmacology Bulletin*, Vol. 18, No. 3 (July, 1982), pp. 211-215.

————, et al, National Institute of Mental Health, Bethesda, Maryland, and University of California, San Diego. "Mood and behavioral effects of physiotigmine on humans are accompanied by elevations in plasma B-Endorphin and cortisol." *Science*, Vol. 209, No. 26 (September, 1980), pp. 1545-46.

Schwartz, T.B. "Naloxone and weight reduction: an exercise in introspection." *Transactions of Amercian Clinical and Clinitological Association*, Vol. 92 (1981), pp. 103-110.

Selye, Hans. *The Stress of Life*. New York: Mc Graw-Hill Book Co., 1956.

Shealy, C. Norman. "Preventive, stress, and energy medicine." Workshop presented at *Awards for Excellence in Health and Education*. Association for Holistic Health Conference. Irvine, California. September, 1985.

Sicuteri, F. "Opiods, pregnancy and the disappearance of headache." *Headache*, Vol. 20 (July, 1980), pp. 220-1.

Simon, Eric J., New York University, New York. "Opiate receptors and Endorphins: possible relevance to narcotic addiction." *Advances in Substance and Alcohol Abuse*, Vol.1 (Fall, 1981), pp. 13-32.

Smith, G.P., and J. Gibbs, Cornell Medical School, New York. "Brain-gut peptides and the control of food intake." *Neurosecretion and Brain Peptides*, eds. J.B. Martin, S. Reichlin, and K.L. Bick. New York: Raven Press, 1981.

Steinbrook, R.A., et al, Harvard Medical School, Boston, Massachusetts. "Dissociation of plasma and cerebrospinal fluid Beta-Endorphin-like immunoactivity levels during pregnancy and parturition." *Anesthesia and Analgesia*, Vol. 61, No. 11 (November, 1982), pp. 893-897.

Terenius, Lars, University of Uppsala, Sweden. "Endorphins—the first three years." *American Heart Journal* , Vol. 98, No. 6 (December, 1979), pp. 681-683.

Thornhill, J.A., K.E. Cooper, and W.L. Veale, University of Calgary, Alberta. "Core temperature changes following administration of naloxone and naltrexone to rats exposed to hot and cold ambient temperatures. Evidence for the physiological role of Endorphins in hot and cold acclimatization." *Journal of Pharmacy and Pharmacology*, Vol. 32 (December, 12, 1979), pp. 427-430.

Tregear, G.W., and J.P. Coghian, University of Melbourne, Victoria, Australia. "Alcohol addiction: are the endrogenous opiods involved?" *Australia/New Zealand Journal of Medicine,* Vol. 11 (1981), pp. 118-122.

Wei, E., University of California, Berkeley. "Enkephalin analogs and physical dependence." *Journal of Pharmacology and Experimental Therapeutics,* Vol. 216 (June, 1981), pp. 12-18.

_____, and H. Loh. "Physical dependence on opiate-like peptides." *Science,* Vol. 193 (September, 24, 1976), pp. 1262-63.

Chapter Three

Agnoli, A, et al, University of L'Aquila, and University of Rome, Italy. "On the etiopathogenenesis of migraine: a possible link between the amines and Endorphin hypotheses." *Advances in Neurology,* eds. M. Critchley, et al. New York: Raven Press, 1982.

Akil, H., et al, University of Michigan, Ann Arbor. "Characterization of multiple forms of Beta-Endorphin in pituitary and brain: effect of stress." *Advances in Biochemical Psychopharmacology,* Vol. 3 (1982), pp. 61-67.

Ambinder, R.F., and M.M. Schuster, Johns Hopkins School of Medicine, Baltimore, Maryland. "Endorphins: new gut peptides with a familiar face." *Gastroenterology,*

Vol. 77 (November, 1979), pp. 1132-1140.

Banthrop, R.W., et al, University of New South Wales, Sydney, Australia. "Depressed lymphocyte function after bereavement."*Lancet*, Vol. 1, No. 8016 (April 16, 1977), pp. 834-36.

Beecher, Henry K., Harvard Medical School, Boston, Massachusetts. "The powerful placebo." *Journal of the American Medical Association*, Vol. 159 (1955), pp. 1602-1606.

"Beta-Endorphin as arthritis culprit." *Science News*, Vol. 119 (June 6, 1981), pp. 358-359.

"Brain switch for stress." *Science News*, Vol. 9, No. 6 (June, 1982), p.91.

Della Bella, D., et al, Zambom S. P. A. Research Laboratories, Bresso-Milan, and University of Florence, Italy. " Endorphins in the pathogenesis of headache." *Advances in Neurology*, eds. M. Critchley, et al. New York: Raven Press, 1982.

Ferri, S., et al, Universities of Bologna and Milan, Italy. "Interplay between opiod peptides and pituitary hormones." *Regulatory Peptides: From Molecular Biology to Function*, eds. E. Costa, and M. Trabucchi. New York: Raven Press, 1982.

Fields, Howard L., University of California, San Francisco. "An Endorphin-mediated analgesia system: experimental and clinical observations." *Neurosecretion and Brain Peptides*, eds. J.B. Martin, S. Reichlin, and K.L. Bick. New York: Raven Press, 1981.

Fiore, Neil. "Stress management." Lecture at *The Healing Brain*. University of California, San Francisco, 1980.

Gambert, S.R., et al, Medical College of Wisconsin, Milwaukee. "Thyroid hormone regulation of central nervous system, Beta-Endorphin and ACTH."*Hormone and Metabolic Research*, Vol. 12 (1980), pp. 345-346.

Glasser, Ronald J. *The Body is A Hero*. New York: Random House, 1976.

Guillemin, R., et al, Salk Institute, La Jolla, California.

"B-Endorphin and Adrenocorticotrophin are secreted concomitantly by the pituitary gland." *Science*, Vol. 197 (September 10, 1977), pp. 1367-69.

Herz, A., and M.J. Millan, Max-Planck Institute for Psychiatry, Munich, West Germany. "Opiod peptides in the hypothalamic-pituitary axis., Opiod peptides: function and significance."*Opiods, Past, Present and Future*, eds. J. Hughes, H.O.J. Collier, M.J. Rarce, and M.B. Tyres. London and Philadephia: Taylor and Francis, 1984.

Izquierdo, Ivan, Departamento de Bioquimica, RS, Brazil, "Effect of naloxone and morphine on various forms of memory in the rat: possible role of endogenous opiate mechanisms in memory consolidation." *Psychopharmacology*, Vol. 66 (July, 1979), 199-203.

Jacob, J., Pasteur Institute, Paris, France. "Endrogenous morphines and pain control." *Panminerva Medica*, Vol. 24 (1982), pp. 155-159.

Katz, R.J., K.A. Roth, and K. Schmaltz, Mental Health Research Institute, University of Michigan, Ann Arbor. "Endrogenous opiates as mediators of activation and coping." *Endrogenous and Exogenous Opiate Agonists and Antogonists*, ed. E.L. Way. Oxford, England: Pergamon Press, 1980.

Kay, N., J. Allen, and J.E. Morley, University of Minnesota, Minneapolis. "Endorphins stimulate normal human peripheral blood lymphocyte natural killer activity." *Life Sciences*, Vol. 35, No. 1 (1984), pp. 53-59.

Kreiger, D.T., H. Yamaguchi, H., and A.S. Liotta, Mt. Sinai School of Medicine, New York. "Human plasma, ACTH, Lipoprotein, and Endorphin." *Neurosecretion and Brain Peptides*. New York: Raven Press, 1981, pp. 541-556.

Levine, J., N.C. Gordon, and H.F. Fields, University of California, San Francisco. "The mechanism of placebo analgesia." *Lancet*, Vol. 2, No. 8091 (September 23, 1978), pp. 654-657.

Li, C.H., and D. Chung, University of California, San Francisco. "Isolation and structure of an untriakontapeptide with opiate activity from camel pituitary glands." *Proceedings, National Academy of Sciences (U.S.A.),* Vol. 73 (April 1976), pp. 1145-48.

Loh, Y.P., and L.L. Loriaus, National Institutes of Health, Bethesda, Maryland. "Adrocorticotrophic Hormone, B-lipotropin and Endorphin-related peptides in health and disease." *Journal of the American Medical Association,* Vol. 247, No. 7 (February 19, 1982), pp. 1033-34.

Luttinger, D., C.B. Nemeroff, and A.J. Prange, University of North Carolina, Chapel Hill. "The effects of neuropeptides on discrete-trial conditioned avoidance responding."*Brain Research,* Vol. 237 (1982), pp. 183-92.

McGaugh, J.L., et al, University of California, Irvine, and The Hague, The Netherlands. "Role of neurohormones as modulators of memory storage." *Regulatory Peptides: From Molecular Biology to Function,* eds. E. Costa, and M. Trabucchi. New York: Raven Press, 1982.

MacClean, Paul, National Institute of Mental Health, Bethesda, Maryland. "Cerebral Evolution and Emotional Processes: New Findings on the Striatal Complex." *Annals of the New York Academy of Sciences,* Vol. 193 (August 25, 1972), pp.137-49.

————. "On the Evolution of Three Mentalities." *New Dimensions in Psychiatry: A World View, Vol. II,* eds. S. Arieti, and G. Chzanowki. New York: John Wiley & Sons, 1977.

Maier, S.F., and M. Laudenslager, University of Colorado, Boulder, and University of Denver, Colorado. "Stress and health: exploring the links." *Psychology Today,* Vol. 19, No. 8 (August, 1985), pp. 44-49.

Pelletier, Kenneth R. "Corporate health promotion programs." Workshop presented at *Awards for Excellence in Health and Education.* Association For Holistic Health Conference, Irvine, California. September, 1985.

Perry, S., and G. Heidrich, Cornell University Medical Center, New York. "Placebo response: myth and matter." *American Journal of Nursing*, Vol. 81, No. 4 (April, 1981), pp. 720-725.

Pert, Agu, National Institute of Mental Health, Bethesda Maryland. "Mechanisms of opiate analgesia and the role of Endorphins in pain suppression." *Advances in Neurology*, eds. M. Critchley, et al. New York: Raven Press, 1982.

Pickar, D., et al, National Institutes of Health, Bethesda, Maryland. "Response of plasma cortisol and B-Endorphin immunoreactivity to surgical stress." *Psychopharmacology Bulletin*, Vol. 18 (July, 1982), pp. 208-211.

Rheingold, Howard. "Endorphins: an emotional story." *Esquire*, Vol. 99, No. 5 (May, 1983), pp. 140-142.

Rigter, H., et al, University of California, Irvine. "Enkephalin and fear-motivated behavior." *Proceedings, National Academy of Sciences (U.S.A.)*, Vol. 77, No. 6 (June, 1980), pp. 3729-3723.

Selye, Hans. *Stress Without Distress*. New York: Dutton, 1974.

————. *The Stress of Life*. New York: Mc Graw-Hill Book Co., 1956.

Simonton, O.C., S. Matthews-Simonton, and J. Creighton. *Getting Well Again*, Los Angeles: J.P. Tarcher, Inc., 1978.

Solomon, G.F., A.A. Amkraut, and P. Kasper, Stanford University, Palo Alto, California. "Immunity, emotions, and stress." *Annals of Clinical Research*, Vol. 6 (1974), pp. 313-322.

————, and R.H. Moos, Stanford University, Palo Alto, California. "Emotions, immunity and disease." *Archives of General Psychiatry*, Vol. 11 (1964), pp. 657-674.

Stein, L. and J.D. Belluzzi, University of California, Irvine. "Brain Endorphins: possible role in reward and memory formation." *Federation Proceedings*, Vol. 38, No. 11 (October, 1979), pp. 2468-2472.

Stewart, Donald. "Turning on the Endorphins." *American Pharmacology*, Vol. NS20, No. 10 (October, 1980), pp. 50-54.

Summerfield, John A., National Institutes of Health, Bethesda, Maryland. "Pain, itch, and Endorphins." *British Journal of Dermatology*, Vol. 105 (1981), pp. 725-726.

Terenius, Lars, University of Uppsala, Sweden. "Significance of Endorphins in endrogenous antinociception." *Advances in Biochemical Psychopharmacology*, *Vol. 18*, eds. E. Costa, and M. Trabucchi. New York: Raven Press, 1978.

_____. "Endorphins—the first three years." *American Heart Journal*, Vol. 98, No. 6 (December, 1979), pp. 681-683.

Teschemacher, H., et al, Pharmakologischis Institut der Justus Liebig-Universitat Giessen, Lahn-Geissen, West Germany. "Plasma levels of B-Endorphin/B-lipoprotein in humans under stress." *Endrogenous and exogenous opiate agonists and antagonists*, ed. E.L. Way. Oxford, England: Pergamon Press, 1980.

"What you see is what you eat."*Family Weekly*, (February 8, 1981), p. 30.

Chapter Four

Belluzzi, J.D. and L. Stein, University of California, Irvine. "Brain Endorphins: possible role in long-term memory." *Annals New York Academy of Sciences*, Vol. 398 (1982), pp. 221-229.

Clement-Jones, V., and G.M. Besser, St. Bartholomew's Hospital, London, England. "Clinical perspectives in opiod peptides." *British Medical Bulletin*, Vol. 39, No. 1 (1983), pp. 95-100.

Connor, J. R., and M.C. Diamond, University of California,

Berkeley. "A comparison of dendritic spine number and type on pyramidal neuron of the visual cortex of old adult rats from social and isolated environments." *Journal of Comparative Neurology*, Vol. 210 (1982), pp. 99-106.

Diamond, M.C. and J.R. Connor, University of California, Berkeley. "A search for the potential of the aging cortex." *Brain Neurotransmitters and Receptors in Aging and Age Related Disorders*. New York: Raven Press, 1981.

Dupont, A., et al, Le Centre Hospitalier de l'Universite Laval, Quebec, Canada, and Centre De Recherches, Romainville, France. "Age-related changes in central nervous system Enkephalins and Substance P." *Life Sciences*, Vol. 29 (1981), pp. 2317-2322.

"Endorphins through the eye of a needle?" *Lancet*, Vol. 8218 (February 28, 1981), pp. 480-481.

Gambert, S.R., et al, Medical College of Wisconsin, Milwaukee. "Age-related changes in central nervous system Beta-Endorphin and ACTH." *Neuroendocrinology*, Vol. 31 (1980), pp. 252-255.

Han, J., et al, Beijing Medical College, Beijing China, and University of Uppsala, Sweden. "Enkephalin and B-Endorphin as mediators of electro-acupuncture analgesia in rabbits: an antiserum microinjection study." *Regulatory Peptides: From Molecular Biology to Function*, eds. E. Costa and M. Trabucchi. New York: Raven Press, 1982.

Hughes, J., et. al, Imperial College, London, England. "Opiod peptides: aspects of their origin, release and metabolism." *Journal of Experimental Biology*, Vol. 89 (1980), pp. 239-255.

Hopson, Janet L. "A love affair with the brain: conversation with Marian Diamond." *Psychology Today*, Vol. 18, No. 11 (November, 1984), pp. 62-73.

Hosobuchi, Y., T.F. Adams, and R. Linchitz, University of California, San Francisco. "Pain relief by electrical stimulation of the central grey matter in humans and its reversal by naloxone." *Science,* Vol. 197 (1976), p. 961.

Kastin, A.J., et al, Tulane University, New Orleans, Louisiana and East Tennessee State University, Johnson City. "Neonatal administration of Met-enkephalin facilitates maze performance in adult rats." *Pharmacology, Biochemistry and Behavior,* Vol. 13 (October,1980), pp. 883-886.

Katz, R.J., University of Michigan Medical Center, Ann Arbor. "Exploration as a functional correlate of Endorphins." *Journal of Theoretical Biology,* Vol. 77 (1979), pp. 537-538.

Kavaliers, M., M. Hirst, and G.C. Teskey, University of Western Ontario, London, Ontario, Canada. "Aging, opiod analgesia and the pineal gland."*Life Sciences,* Vol. 32, No. 19 (1983), pp. 2279-2287.

Maranto, Gina. "The mind within the brain." *Discover,* Vol. 5, No. 5 (May, 1984), pp. 34-43.

Montagu, Ashley. *Touching: the Human Significance of Skin.* New York: Columbia University Press, 1971.

Oyle, Irving. *The Healing Mind.* Millbrae, California: Celestial Arts, 1975.

Riley, A.L., D.A. Zellner, and H.J. Duncan, The American University, Washington D.C. "The role of Endorphins in animal learning and behavior." *Neuroscience and Biobehavioral Reviews,* Vol. 4 (September 20, 1979), pp. 69-76.

Sargent, Shirley. *Galen Clark, Yosemite Guardian.* Yosemite, California: Flying Spur Press, 1981.

Smyth, D.G., National Institute for Medical Research, London, England. "B-Endorphin and related peptides in pituitary, brain, pancreas, and antrium." *British Medical Journal,* Vol. 39, No. 1 (1983), pp. 25-30.

Vaughan, Peter F.T., Glasgow University, Scotland. "The effect of neuropeptides on neurotransmitter biochemistry in the CNS." *Cellular and Molecular Biology,* Vol. 28, No. 4 (1982), pp. 369-382.

Wall, P.D., and C.J. Woolf, University College, London, England. "What we don't know about pain." Vol. 287 (September, 1980), pp. 185-186.

Chapter Five

Aronoff, G.M., R. Kamen, and W.O. Evans, Boston Pain Unit, Massachusetts Rehabilitation Hospital. "The relaxation response: a behavioral answer for chronic painpatients."*Behavioral Medicine* (1981), pp. 20-22.

Auden, W.H., and N.H. Pearson, eds. *Poets of the English Language, Vol. 5.* New York: The Viking Press, 1950.

Bellack, A.S., M. Hersen, and J. Himmelhoch, University of Pittsburgh, Pennsylvania. "Social skills training compared with pharmacotherapy and psychotherapy in the treatment of unipolar depression." *American Journal of Psychiatry*, Vol. 138, No. 12 (1981), pp. 1562-1567.

Buscaglia, Leo. *Living, Loving and Learning.* New York: Ballantine Books, 1982.

Carr, Daniel B., Harvard Medical School, Boston, Massachusetts. "Endrogenous opiods and fever: a hypothesis." *Perspectives in Biology and Medicine*, Vol. 23, No. 1 (Autumn, 1979), pp. 1-16.

Carter, James P., Tulane University, New Orleans, Louisiana. "Unhealthy habits: science seeks the cause." *Rx Being Well*, Vol. 2, No. 3 (May/June,1984), pp. 64-68.

Cassens, G., et al, Harvard University, Boston, Massachusetts. "Alterations in brain Norepinephrine metabolism induced by environmental stimuli previously paired with inescapable shock." *Science*, Vol. 209 (September, 1980), pp. 1138-1140.

Cousins, Norman. *Anatomy of An Illness, As Perceived by a Patient.* New York: W.W. Norton, 1979.

Field, Joanna. *A Life of One's Own.* Los Angeles: J.P. Tarcher, Inc., 1981.

Fraioli, F., et al, Universita di Roma, Rome, Italy.

"Physical exercise stimulates marked concomitant release of B-Endorphin and ACTH in peripheral blood in man." *Experimentia,* Vol. 36 (1980), pp. 987-989.

Glaser, William. *Positive Addiction.* New York: Harper and Row, 1976.

Goldstein, Avram, Stanford University, Palo Alto, California. "Thrills in response to music and other stimuli." *Physiological Psychology,* Vol. 8, No. 1 (1980), pp. 126-129.

Holmes, T.H. and M. Masuda. "Life change and illness susceptibility." Paper presented as part of *Symposium on Separation and Depression: Clinical and Research Aspects.* Chicago, Illinois. December, 1970.

Howe, Herbert M. *Do Not Go Gentle.* New York: W.W. Norton and Co., 1981.

Keller, Helen. *The Story of My Life.* New York: Macmillan, 1964.

Knight, James A., Louisiana State University School of Medicine. "Spiritual psychotherapy and self-regulation." *Inner Balance, the Power of Holistic Healing,* ed. E.M. Goldwag. Englewood Cliffs, New Jersey: Prentice-Hall, Inc., 1979.

Konner, Melvin. *The Tangled Wing, Biological Constraints on the Human Spirit.* New York: Holt, Rinehart, and Winston, 1982.

Lingerman, Hal A. *The Healing Energies of Music.* Wheaton, Illinois: Quest Books, 1983.

Marek, G., *Beethoven: a biography of a genius.* New York: Funk and Wagnalls, 1969.

Mickley, G.A., et al, U.S. Air Force Academy, Colorado Springs, Colorado. "Endrogenous opiates mediate radiogenic behavioral change." *Science,* Vol. 220 (June 10, 1983), pp. 1185-1186.

Moody, Raymond. *Laugh After Laugh, the Healing Power of Humor.* Jacksonville, Florida: Headwaters Press, 1978.

Neary, J. "A rocky try at reshaping lives." *People,* Vol. 19,

No. 32 (May 9, 1983), pp. 33-35.

Newhouse, Flower A. *The Journey Upward,* Athene Bengtson, ed. Escondido, California: The Christward Ministry, 1978.

"Nitrous oxide eases pain." United Press International, July 31, 1983.

Pelletier, Kenneth R. *Toward a Science of Consciousness.* New York: Dell Publishing Co., 1978.

Prigogine, Ilya. *From Being To Becoming.* San Fransisco: W.H. Freeman and Co., 1980.

Ryan, S.M., A.P. Arnold, and R.P. Elde, University of California, Los Angeles, and University of Minnesota, Minneapolis. "Enkephalin-like immunoreactivity in vocal control regions of the zebra finch brain." *Brain Research,* Vol. 229 (1981), pp. 236-240.

Stein, L. and J.D. Belluzzi, University of California, Irvine. "Brain Endorphins and the sense of well-being: a psychobiological hypothesis." *Advances in Biochemical Psychopharmacology, Vol. 18,* eds. E. Costa, and M. Trabucchi. New York: Raven Press, 1978, pp. 299-311.

Teale, Edwin W., ed. *The Wilderness World of John Muir.* Boston: Houghton Mifflin Co., 1954.

Wilber, Kenneth, ed. *The Holographic Paradigm, Exploring The Leading Edge of Science.* Boulder, Colorado: Shambala Publications, Inc., 1982.

Wingerson, Lois. "Training the Mind To Heal." *Discover,* Vol. 3, No. 5 (May, 1982), pp. 80-85.

❄ ❄ ❄

Achevé d'imprimer en octobre 1988 sur
papier bouffant partiellement recyclé
par   L'ENCRE Y EST
             33, place d'Alger
             72000 - LE MANS